ちくま新書

お金で世界が見えてくる！

池上 彰
Ikegami Akira

1074

はじめに

お金は、なぜお金なのか。みんながお金だと思っているから。

これではトートロジー（同義語反復）ですが、そもそもお金の本質は、ここにあります。

私たちが使っている日本のお札《さつ》は、紙に「日本銀行券」と印刷してあるだけ。いわば、ただの紙きれです。それなのに、なぜ私たちは、これをお金として使っているのでしょうか。

それは、他の人がお金として受け取ってくれるからです。

では、どうしてお金として受け取ってくれるのか。あなたも他の人も、「日本銀行券」を発行している日本銀行を信用しているからです。その背後にある日本政府も信頼しているから、ということになるでしょう。辛辣《しんらつ》な表現をすれば、「共同幻想」によって成り立っているのです。

この本では、国民からの信用を失った紙幣《しへい》の価値が下がっていく悲劇も取り上げています。信用を失う。つまり、貨幣の価値が下がるインフレです。

紙のお金は、「信用」という目に見えないものが背後にあることによって、お金として通用するのです。

そもそもお金とは、物々交換を仲立ちするものとして誕生しました。最初は貝や米、塩などが使われましたが、次第に金や銀が取って代わります。ピカピカ光って誰もが欲しがり、加工が楽ですり減ることがなく、長持ちするからです。

しかし、多額の金や銀を持ち運ぶのは不用心。そこで、「いつでも金と交換する」と保証した書付《かきつけ》が代わりに流通するようになります。これが紙幣の誕生です。

この紙幣は、いつでも金と交換できる「信用」があったからお金として使われましたが、やがて金の裏付けがなくても使われるようになります。この場合の「信用」とは、この紙幣を発行する中央銀行や、その国の政府の存在です。

こうして、ただの紙きれがお金として使われるようになりました。

しかし、インターネットが発達し、世界中での取引が必要になると、もっと簡便な貨幣が必要になります。その需要から生まれたのが「ビットコイン」です。

ビットコインとは、目の前に実物があるわけではない仮想通貨《バーチャル・マネー》です。「ビット」とはコンピューター用語で、コンピューターが扱う最少情報量が1ビットです。コンピューター上でのお金という意味でビットコインという名称になりました。

2014年2月、ビットコインの取引所のひとつである日本の「Mt. Gox」（マウント・ゴックス）が経営破綻したことで、ビットコインに対する不安が広がりました。「Mt. Gox」という名前は、同社が人気カードゲームの『マジック：ザ・ギャザリング』のカードを売買するオンライン取引所として開設されたことに由来します。「Magic: The Gathering Online eXchange」を略したものです。

この取引所がハッカーの攻撃を受け、管理していた多額のコインが盗み取られたために破綻したというのです。バーチャルなマネーですから、データが失われたら、それでおしまいです。

これなど、ネットを利用している人たちの「信用」によって成り立っているという、究極の「信用貨幣」です。貨幣は、やがて目に見えない貨幣にまで発展した。貨幣は、その本質である「信用」そのものとして存在するようになったのです。
貨幣は行き着くところまで進化してしまったのかもしれませんが、現実社会では、さまざまな紙幣が流通しています。そんな紙幣をよく見ることで、その国の歴史や現在が見えてきます。お金から見た世界は、あなたに、これまでなかった見方を提供するはずです。国際情勢をお金から見る。楽しんでいただけたら幸いです。

この企画は、筑摩書房の編集者・小船井健一郎さんの後押しで成立しました。なかなか着手しない私に業《ごう》を煮やした小船井さんが、「ウェブちくま」で毎月連載すれば本になりますと提案。その結果、この形になりました。

2014年4月

ジャーナリスト・東京工業大学教授
池上　彰

お金で世界が見えてくる！【目次】

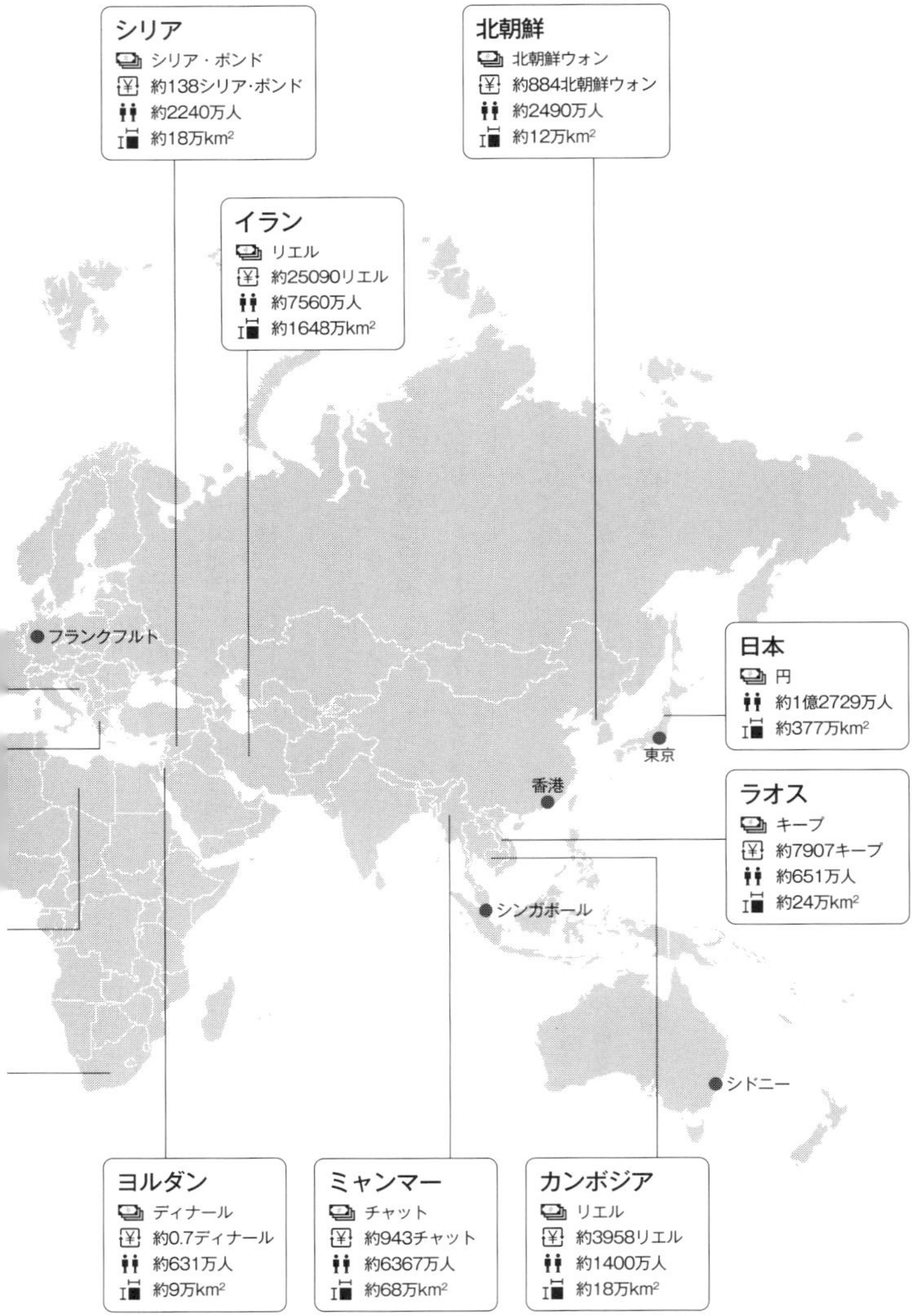

シリア
シリア・ポンド
約138シリア･ポンド
約2240万人
約18万km²
北朝鮮
北朝鮮ウォン
約884北朝鮮ウォン
約2490万人
約12万km²
イラン
リエル
約25090リエル
約7560万人
約1648万km²
フランクフルト
日本
円
約1億2729万人
約377万km²
東京
香港
ラオス
キープ
約7907キープ
約651万人
約24万km²
シンガポール
シドニー
ヨルダン
ディナール
約0.7ディナール
約631万人
約9万km²
ミャンマー
チャット
約943チャット
約6367万人
約68万km²
カンボジア
リエル
約3958リエル
約1400万人
約18万km²

[本書で扱うお金マップ]

為替市場は
眠らず世界をかけめぐる！

外国為替市場は24時間取引されていて、シドニー⇒東京⇒香港⇒シンガポール⇒パリ⇒フランクフルト⇒ロンドン⇒ニューヨークと世界を一周する。

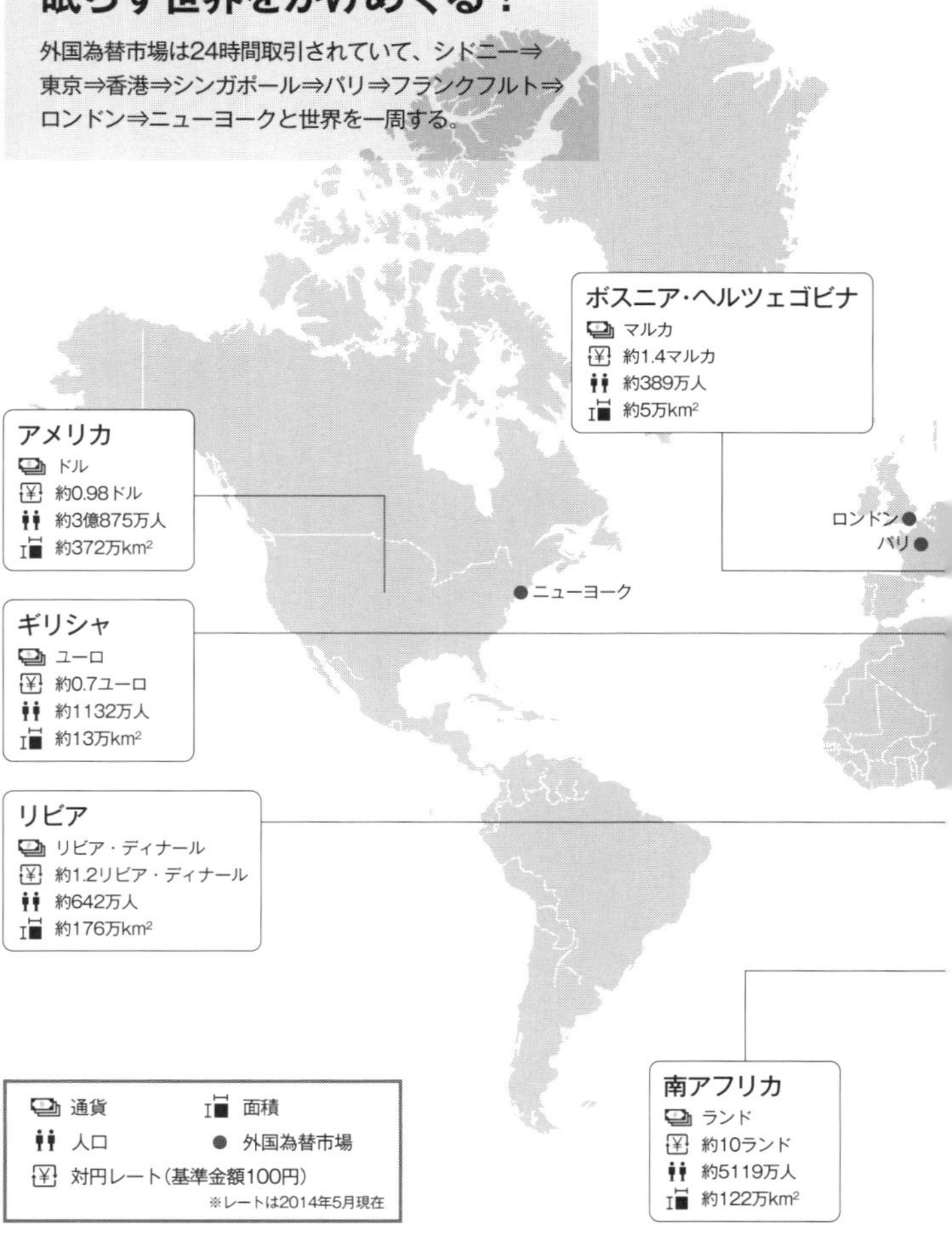

第1章 奇妙な数字、奇妙な政治——ミャンマー

ある国の紙幣を見ると、その国の様子が見えてくる。

そう考えて、私は世界各地に取材に行くたびに、その国の新旧の紙幣を集めてきます。本書では、そうした紙幣をご紹介しながら、その国の様子、さらに国際情勢について解説しましょう。題して、『お金で世界が見えてくる！』です。

第1章は、ミャンマーです。

†奇妙な数字の紙幣があった

もし日本のお札に、150円紙幣や450円紙幣、900円紙幣があったら、どうでしょうか。

ちょっと考えられないですよね。そんな奇妙な紙幣が存在していた国。それが不思議の国だったミャンマーです。ミャンマーの通貨の単位はチャット。15チャットや45チャット、90チャットなどの紙幣が使われていたことがあったのです。写真は、その45チャット紙幣です。

それどころか、25チャット、35チャット、75チャット紙幣が使われていたこともあります。

　これだと支払いが大変ですね。30チャットの買い物をする場合は、45チャットを出して15チャットのお釣りを受け取る。40チャットの買い物なら75チャット紙幣を出して35チャットのお釣りをもらう……ややこしい計算ですね。

奇妙な数字の 45 チャット

アウンサン・スーチーさんの国

　最近のミャンマーは、急激に民主化が進んでいますが、ひとむかし前までは、閉鎖的な軍事独裁政権でした。民主化指導者でノーベル平和賞を受賞したアウンサン・スーチーさんを軟禁《なんきん》していた国として知られています。

　ちなみに、ミャンマーには名字がなく、アウンサンスーチーという一連がすべて名前です。本人も名前の間に

「・」は入れないでほしいと希望しているそうですが、建国の英雄である父アウンサンの名前をもらっていることもあり、日本のマスコミはアウンサンとスーチーの間に「・」を入れるのが一般的なので、この本でもアウンサン・スーチーと表記します。

†建国の父でもあるアウンサン

ミャンマーのお札には、軍服姿の若い青年の肖像画もあります。これがアウンサンです。スーチーさんの父であるばかりでなく、建国の父として、いまも国民から慕《した》われています。

ミャンマーは、第二次世界大戦が終わるまで、ビルマと呼ばれるイギリスの植民地でした。アウンサンは、イギリスからの独立を求めて仲間を結成します。そこに目をつけたのが、日本軍でした。

1940年代の日本軍は、日中戦争に手を焼いていました。中国の国民党政権を支援する英米が、ビルマから支援物資を運んでいたのも癪《しゃく》の種でした。これが「ビルマ・ルート」です。ビルマ・ルートを遮断するため、日本軍は、ビルマ人による反乱を画策《かくさく》し

アウンサン
1915-1947年。ビルマ（現ミャンマー）の独立運動指導者。日本の援助で独立軍を結成するが、その後に抗日戦線を結成。イギリスからの完全独立を目前にして、保守派に暗殺された。

ミャンマー建国の父・アウンサンの肖像画の入った35チャット

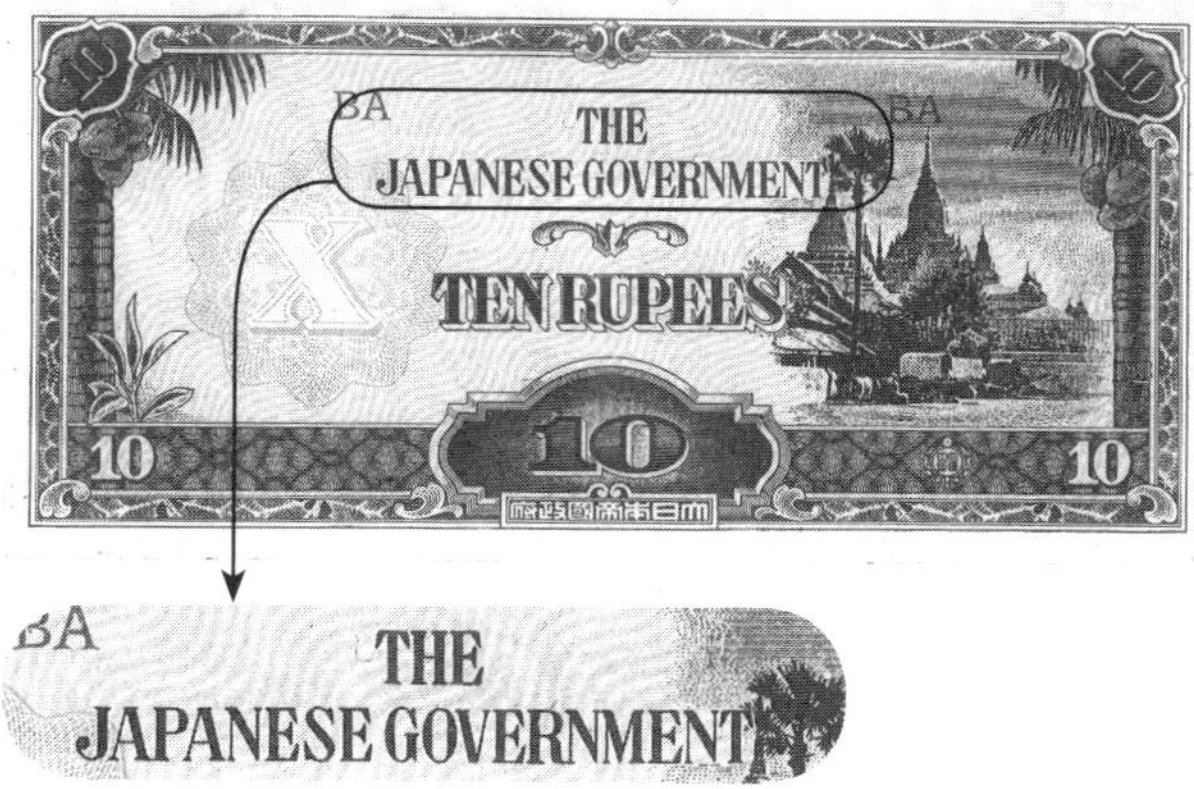

「日本銀行」ではなく「日本政府」発行の軍票

ます。アウンサンがイギリスからの独立をめざしていると知り、アウンサンと仲間計30人を日本に呼んで軍事訓練を施《ほどこ》しました（実際の訓練は日本軍が占領していた中国の海南島《かいなんとう》で実施）。その上で、彼らに「ビルマ独立義勇軍」を結成させ、日本軍は、彼らと共にビルマに攻め込み、イギリス軍を追い払ったのです。

彼らは「30人の志士《しし》」と呼ばれました。

ところが、日本はビルマの独立を形だけ認めたものの、実際には軍政を敷きました。このときビルマの紙幣の代わりに、日本政府発行の軍票《ぐんぴょう》を使用します。写真の軍票には、発行元が英語で「日本政府」と書かれています。日本銀行発行ではないのです。日本軍は、これで買い物をしたのですね。現地調達です。

日本の敗戦後、これは紙屑《かみくず》になってしまいました。いまは町の土産店で売られています。

真の独立が獲得できなかったことに失望したアウンサンは、今度はイギリスと連絡を取り、日本支配に対する反乱を起こし、日本軍を追い出しました。

このしたたかな戦略により、第二次世界大戦後はイギリスからの独立を果たします。

しかし、独立寸前、政治テロによって殺害されてしまったのです。アウンサン32歳でした。肖像画が若者なのは、そこまでしか生きていなかったからです。

†アウンサン亡き後、迷走するビルマ

アウンサン亡き後、独立したビルマは共産党や少数民族が反乱を起こして国内は混乱に陥《おちい》ります。これに業を煮やした軍部は1962年にクーデターを起こし、ネ・ウィン将軍が全権を掌握《しょうあく》。一党独裁の社会主義国家を樹立します。

この時代に、奇妙な紙幣が発行されたり、突然廃止されたりを繰り返します。1985年には20チャット、50チャット、100チャットが廃止され、代わって25チャット、75チャットが発行されました。合計すれば100チャットになるというわけです。

さらに15チャット、30チャット紙幣も発行されます。

ところが1987年には25チャット、35チャット、75チャットも廃止。その代わりに（代わりになるのか、どうか）45チャット、90チャットが発行されたのです。

ビルマは星占いの盛んな国。私が2013年1月に取材に行ったときにも、多くの庶

ネ・ウィン
1911-2002年。軍人・政治家。1962年の軍事クーデターによって政権を掌握。革命評議会議長、次いで大統領となり、独自の社会主義路線を進めた。

発行と廃止が繰り返された頃の25チャット（上）と75チャット（下）

民が人生を占ってもらっていました。奇妙な紙幣も、ネ・ウィン将軍のお抱え占い師が示した「縁起《えんぎ》のいい数字」に合わせて発行したのだろうと庶民は噂《うわさ》をしたものです。

†新しい軍事政権の下、スーチーさん軟禁

ネ・ウィンの社会主義路線によって、ビルマは経済が停滞します。独立当初は東南アジアでもトップレベルの豊かさを誇っていましたが、1987年には国連で「後発発展途上国」に認定されます。つまり世界最貧国のひとつになったのです。

国民の不満は高まり、1988年には学生や市民の不満が爆発。暴動が発生し、ネ・ウィンは退陣に追い込まれました。

しかし、再び軍が全権を掌握し、新たな軍事独裁を開始します。ビルマという国名をミャンマーに変更しました。

このとき民主化運動の若者たちから引っ張り出されたのが、スーチーさんでした。

スーチーさんは、イギリスのオックスフォード大学に留学中に知り合ったイギリス人と結婚。イギリスで暮らしていましたが、母親が脳卒中で倒れたため、看病のため一時

帰国しました。それを知った若者たちがスーチーさんを民主化要求の集会に引っ張り出したのです。こうしてスーチーさんは、民主化運動のシンボルになります。国民は、スーチーさんの背後にアウンサンを見ていました。

盛り上がった民主化運動に押され、軍事政権は1990年、総選挙を実施します。スーチーさん率いる国民民主連盟（NLD）は圧勝しましたが、この結果に驚いた軍事政権は、選挙結果を認めず、スーチーさんを自宅軟禁にします。

これに対して国際社会は、ミャンマーに経済制裁を科します。これでミャンマーは一段と経済が停滞します。

†首都移転も星占い？

新しい軍事政権は、国家平和発展評議会を組織し、タン・シュエ将軍が議長に就任します。この議長も、星占いに凝《こ》っていたようです。2006年には、首都を、それまでのヤンゴン（ラングーンから名称変更）から、内陸のネピドー（王都の意）に移転させたからです。

アウンサン・スーチー
1945年-。アウンサンの長女。ミャンマーの民主化運動指導者。1989年から2010年まで断続的に自宅軟禁下に置かれた。1991年ノーベル平和賞受賞。

アウンサンの遺影の前に立つスーチーさん　©時事

タン・シュエ
1933年-。軍人・政治家。1992年より軍事政権の上級大将、国家元首、国家平和発展評議会首相などを歴任。2011年より大統領の地位をテイン・セイン首相に引き継いだ。

中国との交渉に訪れたタン・シュエ　© EPA=時事

ヤンゴンとネピドーを結ぶ一本道を私も往復しましたが、片道5時間かかります。何もない内陸部に突然首都を移転したため、当初は政府の官僚たちの宿舎もない状態でしたが、中国の援助によって、巨大な国会議事堂や大統領官邸、広大な幅《はば》の道路が建設されています。

この首都移転も、タン・シュエ将軍のお抱え占い師のご託宣《たくせん》だろうと庶民は噂しています。

†民主化運動はたびたび弾圧

その後も民主化運動が起こりますが、そのたびに軍事政権によって弾圧されます。

2007年9月には、僧侶を中心とした数万人の規模の反政府デモが行われました。ミャンマーは仏教国。多数の僧侶がいて、国民の信頼を得ています。僧侶は政治に関わらないのですが、このときは多くの僧侶が立ち上がったのです。

これに対して軍事政権は武力による弾圧を行い、取材中の日本人ジャーナリストの長井健司さんが至近距離から兵士に銃撃され、死亡しました。

過去の1988年の民主化運動では、学生や市民のデモ行進に政府職員も参加しましたが、このときは首都が移転されていたため、政府職員の姿はありませんでした。これが首都移転の真の狙いだったのかもしれません。

2008年5月2日には大型のサイクロン（日本の台風のこと）が南部のデルタ地帯に上陸し、大きな被害をもたらします。国際社会が救助や援助を申し出ますが、軍事政権は拒否。閉鎖社会を印象づけました。

†民政に移管した途端、民主化開始

そのミャンマーに転機が訪れます。2007年10月、国家平和発展評議会のタン・シュエ議長の下で、テイン・セインが新首相に就任したからです。テイン・セイン首相は、軍主導のもとで政治改革を開始します。

2008年5月に新憲法案についての国民投票が実施・可決されました。民政移管のルールが作られたのです。

2010年4月、テイン・セイン首相は軍を離れ、連邦団結発展党という政党を結成します。10月には国旗を新しいデザインに変更しました。11月7日には2008年の新憲法に基づく総選挙が実施され、連邦団結発展党が8割の得票を得て勝利宣言しました。

ところが、ここから事態が動き始めます。11月になると、アウンサン・スーチーさんの軟禁状態が解除されたのです。スーチーさんの軟禁は1989年から断続的に続いてきましたが、ようやく自由の身になったのです。

2011年1月、ネピドーで総選挙後初の連邦議会が開幕し、3月にはテイン・セイン首相がミャンマー大統領に就任しました。

軍事政権発足以来ミャンマーの最高決定機関であった国家平和発展評議会は解散。権限が新政府に移されました。

これにより軍政が終わった形になったのですが、新政府は軍関係者が多数を占めていて、実質的な軍政支配が続くとみられていました。

†スーチーさんの写真あふれる

ところが、2011年7月になると、テイン・セイン大統領が、スーチーさんを大統領官邸に呼んで、国家のために協力するように呼びかけ、両者は合意しました。

これには国民が仰天《ぎょうてん》します。それまでの軍事政権では、スーチーさんのことに触れるのはタブーでしたが、政府が検閲している新聞に、スーチーさんと大統領の会談の写真が掲載されたのですから。

これ以降、新聞や週刊誌が、スーチーさんに関する記事や写真を恐る恐る掲載しても、何のお咎《とが》めもありません。街に一気にスーチーさんの写真があふれました。

10月になると、政治犯を含む受刑者約6400人が恩赦《おんしゃ》によって釈放されました。テイン・セイン大統領は、スーチーさんに対して、国会議員選挙に立候補するように呼びかけました。

これを受けて国民民主連盟（NLD）は、11月に政党としての再登録を行いました。軍事政権時代には、政党としての資格を奪われていたのです。

そして2012年4月、連邦議会の補欠選挙が45の選挙区で実施され、NLDはスーチーさんを含む43人が当選しました。大勝利です。

ただし、議会の大多数は軍の関係者が占めている状況に変わりはありません。

それでも、2013年1月にミャンマーを訪問したときには、2年前の取材のときのように情報省の関係者がつきまとうこともなく、自由な取材活動ができるようになっていました。

市民も政治の話を自由にできるようになっていました。驚くべき変化です。不思議の国ミャンマーは、普通の国になったのです。上からの民主化でした。

†民主化で日本企業の進出ブーム

軍事政権時代、経済制裁によって外国からの投資はストップしていましたが、民主化が進んだことで、経済制裁は解除に向かい、外国人のビジネスマンが殺到しています。

とりわけ目立つのが日本企業の関係者です。

2011年に訪れたときは、日本の中古車が目立ちましたが、2013年1月のときには、新車が増えていました。

世界中からビジネスマンが来るため、ホテルは満室が続き、新しいホテルの建設ラッシュが始まっていました。民主化されると、世界の富が集まってくるのですね。

同年1月の取材の際は、女性向け衣料品を製造・販売している日本のハニーズという企業の縫製工場を訪問しました。ここは2012年5月、ミャンマーの大都市ヤンゴンに縫製工場を建設しました。巨大な工場では、900人の女性たちが熱心にミシンに向かっていました。その姿には圧倒されました。

勤務時間は午前8時から午後7時まで。途中、昼食時間40分と休憩時間20分で、実働は10時間です。長時間労働だと思うのですが、ミャンマーの縫製工場では、これが普通だそうです。

毎月の給料は平均で日本円にして8000円程度。この人件費の低さが、日本企業には魅力なのですね。

ハニーズは、これまで中国の協力工場に注文していましたが、人件費が上がったことと、一人っ子を大事に育て、高等教育を受けさせようとする家庭が増えたため、縫製工場での働き手が見つからなくなっているそうです。

上海の協力工場から派遣されてきた社員は、「ミャンマーの人件費は中国の6分の1のレベル。作業能率が中国の2分の1なので頭が痛いが、これから急速に技術を習得するようになるだろう」と語っていました。

ただし、問題はインフラです。経済が発展するにつれ、電力不足が深刻になっています。たびたび停電が発生するのです。工場を取材中も停電し、自前の自家発電装置2基を動かして電気を供給していました。夜、泊まっていたホテルも何度も停電しました。今後の発展には、電力の供給増がカギになります。

†スーチーさんの紙幣も?

国会議員になったアウンサン・スーチーさんは、自宅のあるヤンゴンとネピドーを行ったり来たりしながら政治活動を続けています。

2013年3月10日には、NLDの党大会が開かれ、議長にスーチーさんを再選しました。大会には、軍政権の受け皿になってきた与党の連邦団結発展党の副議長が出席し、協力関係を築くことをアピールしました。

ミャンマーの次の総選挙は2015年。NLDは、ここで政権獲得をめざします。

スーチーさんは、2013年4月に来日しました。若い頃、父親の日本での軌跡を研究するために来日し、京都で生活していたことがありますが、それ以来の訪日になります。

今後、スーチーさんが、父アウンサンのような国民統合の存在になれるのか、どうか。もし偉大な政治家になれれば、将来はスーチーさんの肖像画の紙幣が登場するかもしれません。

第2章 デノミに失敗した北朝鮮——北朝鮮

世界各国の抗議を押し切って核実験を強行し、国連が非難決議を採択すると逆切れ。「核ミサイルを発射するぞ」と脅《おど》して、国際社会の注目を集めようとしてきた北朝鮮。世界に存在を認めさせ、あわよくば食料援助を勝ち取ろうとしています。困った国ですが、その背景には、疲弊した経済があります。

北朝鮮は、長く経済の混乱が続き、農業の不作から、しばしば餓死者の発生が伝えられます。そんな北朝鮮経済が一段と混乱したのが、２００９年12月１日に行われたデノミの失敗でした。ここに、デノミ実施の前と後の紙幣の写真を掲載します。

お金を見ることで、その国の様子がわかってくる。第２章は北朝鮮です。

†金日成の肖像画は最高額紙幣だけに

お札に自分の肖像画を掲載させるというのは、独裁者の常套《じょうとう》手段です。日本でもアメリカでも他の先進諸国でも、お札の肖像画は、生きている人物ではありません。死後、高い評価の定まった人物を選んで掲載しています。

生きている人物がスキャンダルでも起こしたら大変ですし、歴史の風雪《ふうせつ》に耐えて評価

デノミ実施の前の 5000 ウォン

金日成

1912-1994 年。朝鮮民主主義人民共和国の指導者。1931 年に中国共産党に入り、抗日運動を展開。45 年ソ連軍と共に帰国。1948 年の建国に際して首相、1972 年に国家主席となり権力を一身に集中させた。

デノミ実施の後の 5000 ウォン

される人物こそ、ふさわしいと考えられるからです。

でも、独裁者なら、その国の人が誰も反対できませんし、スキャンダルが明るみに出ることはありません（生前は、ですが）。

かくして、北朝鮮は、２００９年のデノミまで、金日成《キムイルソン》主席の肖像画が、５０００ウォン、１０００ウォン、１０００ウォンに使われていました。デノミを契機に、金日成主席の肖像画は５０００ウォンだけに使われるようになりました。

これは一説には、神格化された金日成主席の顔が入ったお札は、うっかり使えなくなってしまったからだとも言われます。お札を畳《たた》んで顔に皺《しわ》を作ったら大変ですし、お札の入った財布をズボンの後ろポケットに入れて座ったら、顔を尻に敷いたということになってしまい、不敬に当たるから、というわけです。５０００ウォン紙幣なら、ふだん持ち歩く人はいないので不敬行為は起きないし、最高額の紙幣にだけ使用されるのは最高指導者にふさわしい、ということなのでしょう。

✝金日成が作り上げた独裁国家

北朝鮮の公式の伝記では、金日成は、朝鮮半島が日本の支配下にあった1930年代から40年代にかけて、抗日遊撃隊を率いて朝鮮半島で日本軍と戦って戦果を挙げた、ということになっています。ところが実際は、旧満州《まんしゅう》で活動中、日本軍に追われてソ連（ソビエト社会主義共和国連邦）に逃げ込み、ソ連軍大尉として訓練を受けていました。

戦後、日本が朝鮮半島から引き揚《あ》げると、ソ連軍は、金日成を朝鮮半島に連れてきて、首相に据《す》えました。当時の北朝鮮の最高ポストは首相でした。その後、主席が最高位のポストになり、金日成は主席に就任します。

北朝鮮は、ソ連が作った国家。国家のトップも、ソ連が選んだのです。

第二次世界大戦後、それまで日本が支配していた朝鮮半島に北からソ連軍がやってくると、アメリカは焦《あせ》ります。朝鮮半島全体がソ連の手に落ちることがないようにと、急遽、南から上陸し、北緯38度線で朝鮮半島を南北に分断しました。

当初、国連は、南北の人々が自由選挙によって国民の代表を選び、統一国家を建設することを想定していましたが、ソ連はこれを拒否。自分の言うことを聞く国家を建設しようとします。そこで国連は、とりあえず38度線の南部でだけ選挙を実施。１９４８年

8月、大韓民国が成立しました。翌月に38度線北部に朝鮮民主主義人民共和国が成立しました。

1950年6月、北朝鮮軍は38度線を越えて韓国を攻撃します。朝鮮戦争の始まりです。金日成は、武力で朝鮮半島を統一しようとしたのです。しかし、米軍などが韓国軍を支援した結果、目的を果たすことはできず、1953年7月、休戦協定が結ばれました。朝鮮戦争は停戦状態で現在まで来ています。

朝鮮戦争が休戦に持ち込まれると、金日成は、「勝利した」と強弁《きょうべん》し、苦戦の原因を、朝鮮労働党の他の幹部たちに押しつけて、次々に処刑します。金日成への個人崇拝の傾向が強まることを懸念する人たちもいたのですが、こうした人々は粛清《しゅくせい》されてしまいます。1958年までに、金日成の独裁体制が確立しました。

†独裁体制が経済不振を招く

1995年から98年にかけて、北朝鮮を飢餓《きが》が襲い、多数の餓死者を出しました。その数は、各種調査や推計によると、300万人にも上ると見られます。

韓国と北朝鮮の軍事境界線

北朝鮮を、これほどまでに貧しい国にしてしまった原因は、独裁政治でした。1970年代初め、金日成は、農地拡大政策を取りました。全国の山々の森林を伐採し、段々《だんだん》畑《ばたけ》にしたのです。この作業に多数の国民が動員されました。山を段々畑にして、トウモロコシを植えつければ、食料が増産できると考えたのです。

しかし、山に森林がなくなったことで、保水力が失われ、ちょっとした雨で洪水が発生し、段々畑は崩れ、土砂が川に流れ込み、さらに洪水の被害を広げます。川に流れ込んだ土砂は、やがて海に流れ出し、海底の海藻《かいそう》が全滅。ここに生息していた魚類が姿を消し、沿岸漁業が壊滅状態になります。

2010年、私は首都平壌《ピョンヤン》から南部の開城《ケソン》まで、北朝鮮を南北に自動車で走りました。農村地帯で見たのは、いまだ醜《みにく》い山肌を見せている山々の姿でした。金日成亡き後、山に木を植えるようになったということですが、かつての緑を取り戻すまでにはなっていないのです。

金日成の農業指導は、米作にも向けられました。コメの密植が奨励されたのです。稲をビッシリ植えれば、大量のコメが生産できるだろうという素人考えでした。密植の結果、稲と稲の間の風通しが悪くなり、栄養も行き届かず、1本1本の稲の実の数は減ってしまいます。

収穫したコメは、乾燥させなければなりませんが、刈り取った稲を干す場所がありません。山の木をみんな切り取ってしまったため、材木不足に陥っていたからです。せっかく収穫したコメは、あぜ道に積み上げられるため、蒸れて品質が落ちてしまいます。

脱穀前に乾燥させることができないコメは、脱穀後、道路に敷きつめられて乾燥させられます。私も、農村でこの場面に遭遇しました。人々は平気でコメの上を歩いていましたが、私にはできませんでした。この作業で、コメの量はさらに減ってしまいます。

こうして、北朝鮮の農業は壊滅状態に陥ります。そこにソ連の崩壊が拍車をかけました。

北朝鮮は、ソ連から安い価格で石油を購入し、農産物で支払っていました。バーター取引、いわゆる物々交換です。

しかし、ソ連が崩壊すると、ロシアは、石油を外貨で支払うように求めます。北朝鮮に外貨はほとんどなく、ロシアからの石油の輸入は激減。燃料不足で火力発電所の運転は止まり、電力不足から肥料工場や農薬工場の操業は停止。農業不振に拍車がかかったのです。

「経済改革」で地下経済広がる

北朝鮮では、生活必需品は原則として配給されていました。コメは極めて安い価格で購入できていました。

ところが、農業の不振に電力不足が加わり、極端な物不足に見舞われます。配給制度が維持できなくなってしまったのです。

この結果、闇市《やみいち》が生まれます。人々は、路上で小規模な商売を始めました。配給がマヒして商品が手元に届きませんから、人々は闇市で物資を手に入れるしかありません。闇市場が拡大し、二重経済が生まれたのです。

2002年、北朝鮮政府は、この状況に対処する政策を打ち出します。突然の「経済改革」です。商品価格が引き上げられました。コメ1キロは、公定価格が0・08ウォンだったものが、44ウォンになりました。実に550倍もの大幅引き上げでした。

闇市の拡大で、建前は安くても入手できない公定価格と、非合法で価格は高いが手に入る闇価格との二重構造が生まれていました。これを解消しようとするものでした。当時の闇市でのコメの価格は1キロあたり49ウォンでしたから、公定価格を闇市価格に近づけたというのが、「経済改革」の実態でした。

この「改革」に伴い、労働者の賃金も引き上げられました。一般労働者の月給は１１０ウォンから２０００ウォンに上がりましたが、18倍ですから、食料価格の上昇には追いつきません。生活が一段と苦しくなります。

この改革で、闇市場は「総合市場」として追認されました。経済活動が一部ながら自由化されたのです。

こうなると、地下経済が発達します。地下経済で富を蓄えた新興勢力が各地に生まれました。これは、金日成死去後の金正日《キムジョンイル》体制にとって脅威でした。一応、社会主義体制を標榜している北朝鮮にとって、「資本主義経済」が生まれつつあるように見えたからです。

†突然のデノミ実施

かくして2009年12月1日、突然のデノミが実施されました。新しいウォン紙幣が発行され、それまでのウォンは100分の1に切り下げられたのです。

デノミとは、本来は通貨呼称単位の変更のことを意味します。通貨単位を引き上げても引き下げてもデノミと呼ぶのですが、過去に世界各地で実施されてきたデノミは、いずれもインフレ対策でした。インフレで物価が上昇するのを食い止めるため、通貨の呼び名を変える。つまりは通貨単位の引き下げでした。

北朝鮮の場合は、それまでの100ウォンが、新しく1ウォンになりました。すべての価格が100分の1になったのですが、労働者の賃金は、名目がそのまま据《す》え置かれました。つまり、実質的には賃金が100倍に引き上げられたのです。

北朝鮮経済の状況は変わらず、商品供給がままならないままで、労働者の賃金だけが100倍になったのですから、何が起きるか、容易に想像できることでしょう。供給は

金正日（左）
1942-2011 年。金日成の長男。1997 年に朝鮮労働党書記に就任。
金正恩（右）
1983 年-。金日成の三男。金正日の死後に、後継者として就任。

労働党創立 65 周年の金正日と金正恩　©EPA＝時事

変わらないままに需要は100倍。猛烈なインフレが発生しました。スーパーインフレどころか、もっと激しいハイパーインフレです。

ただし、旧ウォンから新ウォンへの交換は、それまでの通貨単位で10万ウォンまでと限られていました。それより多くの旧ウォン紙幣は紙屑になってしまうという「改革」でした。

地下経済の拡大で、経済的に豊かな層が生まれていました。彼らは、闇で手に入れた紙幣をタンス預金していました。10万ウォンの上限は、それまでの蓄えが水泡《すいほう》に帰すことを意味しました。新しく生まれた富裕層を撲滅《ぼくめつ》するのが、政府の目的でした。

怒った人々は、各地で抗議行動を始めたため、混乱を恐れた政府は、その後、交換の上限を100万ウォンにまで引き上げましたが、人々の怒りは収まりませんでした。

インフレとは、お金の価値が下がること。デノミによって、従来のウォンの価値は100倍になったはずですが、ハイパーインフレの進行により、価値は下落。デノミ実施から2カ月で、新しいウォンの価値は10分の1に下がってしまいました。

このデノミを実施した当時のトップだった金正日総書記は、デノミが成功したら、自分の後継者である金正恩《キムジョンウン》の手柄にする意向だったようですが、惨憺《さんたん》たる失敗に終わったため、金正恩の名前を出すことができず、実施担当者に責任を押しつけたと言われています。

†新札の図柄を見ると……

では、デノミ実施後の紙幣の図柄を見ましょう。

北朝鮮も韓国も、通貨単位は同じウォンですが、価値はまったく違います。北朝鮮のウォンは、はるかに価値が低いのです。

5ウォンは、学生と科学者の肖像画。原子核のマークも入っていて、核開発を進める科学立国の目標が窺《うかが》えます。

10ウォンは、陸海空軍の兵士です。金正日時代は、「先軍政治」がスローガンでした。すべては軍を中心とする、という意味です。まさにスローガンが肖像になりました。軍兵士の群像が肖像になるのは、極めて珍しいものです。私は世界各地でさまざまな紙幣を見てきましたが、兵士の肖像は記憶にありません。

50ウォンは、農民と工場労働者と知識人。朝鮮労働党の党旗は、赤旗に鎌《かま》とハンマーとペンが描かれ、農民、労働者、知識人の協力を象徴していますから、それを紙幣にしたのです。

以上の3種類の紙幣の製造年は2002年となっています。2002年の「経済改革」の際、新しい紙幣の導入も計画していながら、実行できなかったらしいと推測できます。

100ウォンはオオヤマレンゲの花。北朝鮮の国花です。

200ウォンは千里馬《チョンリマ》像です。これは「一日に千里走る」とされる伝説の馬の像です。北朝鮮では、経済発展の速度を速めるように求めるときに使われます。ここにも原子核のマークが見えます。核開発をさらに早めようという意図が見えます。

500ウォンは、凱旋門《がいせんもん》です。金日成が「日本に勝って凱旋した」ということになっていて、それを示すために建設されました。外観は本場パリの凱旋門そっくりで、見るだけで恥ずかしいのですが、「パリの凱旋門より高い」というのが誇りのようです。

1000ウォンは、金日成の最初の妻で金正日の実母の金正淑《キムジョンスク》の生家です。ここからは、さりげなく金正日神格化の動きが見えます。

2000ウォンは、「白頭山密営《ペクトウシヤン》」。金日成は、ソ連軍の基地にいて、そこで金正日が生まれていますが、朝鮮半島で抗日遊撃隊を率いていたということになっていますから、金正日も朝鮮半島で生まれていないと辻褄《つじつま》が合いません。このため、後になって作られたのが白頭山の密営つまり秘密基地です。白頭山は、朝鮮半島の人にとっての霊峰《れいほう》。日本人にとっての富士山のような存在です。金正日は、そこで生まれたという神話を作ったのです。

原子核マークの入ったデノミ後の紙幣

10 ウォンの陸海空軍の兵士

50 ウォンの農民と労働者と知識人

100 ウォンのオオヤマレンゲ

200 ウォンの千里馬像

5000ウォンは、金日成です。デノミ前は、若い頃の肖像画でしたが、デノミ実施に伴い、晩年の顔に近いものに代わりました。

†中国経済圏に

私は2006年と2011年に、北朝鮮に取材に入っています。そこで驚いたのは、外国人が使える通貨はユーロだったことです。外貨準備としてユーロを保有しておきたいということだったのでしょうが、ユーロ危機で、相当損害を出したのではないでしょうか。

ただし、2011年に入ったときは、中国の人民元が、各所で使えるようになっていました。多数の中国人観光客が訪れ、外貨として人民元を落としているのです。

北朝鮮は、すっかり中国経済圏に取り込まれてしまったことは明らかです。

しかし、2013年のミサイル発射騒動では、これまで北朝鮮を擁護してきた中国も、さすがに呆れ果てたようです。さまざまな分野で北朝鮮に対して、やんわりとした締め付けを強化していると伝えられています。一方、韓国は、中国との関係を強化することで北朝鮮を牽制しようとしています。どちらにとっても中国が頼りなのです。

今後、北朝鮮はどこへ向かうのか。そのとき、中国は、どこまで影響力を行使できるのか。日本にとって、厄介な2国を注視していかなければならないのですから、困ったことです。

それにしても、北朝鮮のインフレ昂進《こうしん》が続くと、いずれ再びのデノミがあるかもしれません。そのときは、どんな紙幣の図柄になるのでしょうか。いまの金正恩体制が続いていれば、今度は金正日の肖像画も登場するかもしれません……。

第3章 独裁者が倒された後の紙幣——リビア／イラク

独裁国家は、紙幣に独裁者の肖像画を入れるという話は、第2章の北朝鮮のときに取り上げました。でも、もし独裁者が倒された後は、その紙幣はどうなるのでしょうか。

その典型例が、ここに掲載したリビアの紙幣。旧1ディナール紙幣です。カダフィ政権崩壊後、私はリビアに取材に入り、そこで手に入れました。カダフィ大佐の肖像画の顔の部分が塗りつぶされているのがわかりますね。国民は、カダフィの顔など見たくないと、それぞれ勝手に顔をサインペンなどで塗りつぶして使っているのです。

受け取る方も、見たくないのですから、そのまま通用しています。

これを見て、震え上がった他の国の独裁者もいることでしょうね。自分の肖像画を紙幣に載せるという常軌を逸《いっ》したことをするから、こんなことになるのです。

†カダフィ政権崩壊後に巨額が到着

リビアのカダフィ政権が崩壊したのは2011年8月のこと。その直後、リビアの紙幣2億8000万ディナール（約163億円）分がイギリスからリビアに到着しました。カダフィ政権が崩壊前、イギリスの印刷会社に印刷を発注していたものです。

カダフィ大佐の顔を塗りつぶした旧１ディナール

カダフィ
1942-2011 年。リビアの軍人政治家。士官学校在学中に民族主義の将校団を結成、1969 年にクーデターを起こして国王を追放。軍事政権を樹立して、最高指導者となった。

塗りつぶされる前

いわゆる「アラブの春」によってリビア国内で反政府活動が活発になり、これをカダフィ政権が弾圧するようになって以降、イギリス政府は、紙幣の引き渡しを拒んでいました。カダフィ政権が崩壊したので、反政府勢力に引き渡されたのです。

カダフィ政権が倒されてからカダフィ大佐の顔が印刷された紙幣が届くというのも皮肉な話ですが、内戦状態に陥ってから止まっていた公務員の給与の支払いなどに充《あ》てられたそうです。

†治安回復しないリビア

カダフィ政権崩壊から2年。2013年5月13日には東部の都市ベンガジの病院近くで爆弾テロが起き、多数の死傷者が出ました。

ベンガジでは、2012年9月11日、つまりアメリカ同時多発テロがあった9・11に合わせるようにアメリカ領事館が襲撃され、首都トリポリから来ていたアメリカ大使ら4人が殺害されるなど、テロが相次いでいます。

私がリビアに入ったのは2012年の6月。その頃は、首都トリポリに関する限り、比較的治安が安定していたのですが、その後は悪化。カダフィ政権崩壊後も、治安はなかなか回復していないのです。

†新紙幣に切り替えへ

リビア国内ではカダフィ大佐の顔が見られないようにしているとはいえ、いつまでも旧紙幣を使い続けるわけにはいきません。

「アラブの春」の失脚トリオが載った旧20ディナール

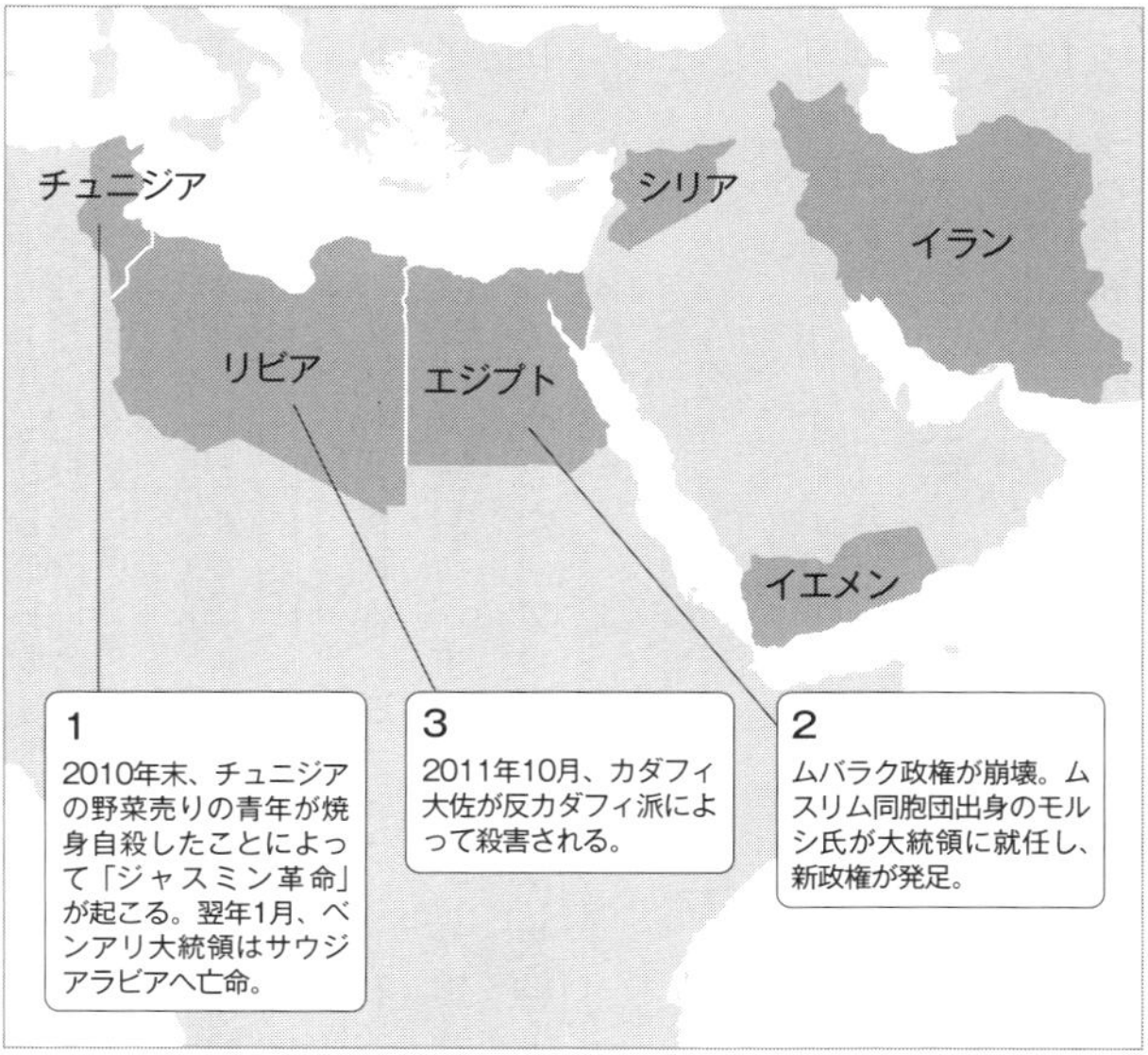
チュニジア
シリア
イラン
リビア
エジプト
イエメン
1
2010年末、チュニジアの野菜売りの青年が焼身自殺したことによって「ジャスミン革命」が起こる。翌年1月、ベンアリ大統領はサウジアラビアへ亡命。
3
2011年10月、カダフィ大佐が反カダフィ派によって殺害される。
2
ムバラク政権が崩壊。ムスリム同胞団出身のモルシ氏が大統領に就任し、新政権が発足。

「アラブの春」の主な出来事

『[図解] 池上彰の世界の宗教が面白いほどわかる本』(中経出版) をもとに作成

反カダフィ派の国民評議会から新たに中央銀行総裁に任命されたカッサム・アズーズは、就任後、新紙幣を発行することを明らかにしています。

これまでの1ディナール紙幣の肖像画は、カダフィ大佐の若い頃の姿です。末期の老いたカダフィ大佐に比べて、颯爽《さっそう》とした容貌です。

リビアの紙幣は、1ディナール札にカダフィ大佐の肖像画が、20ディナール札には、ムバラク前エジプト大統領、ベンアリ前チュニジア大統領ら、すでに失脚した指導者とカダフィ大佐が一緒に写った記念写真が使われていました。アラブの春での失脚トリオですから、まるで冗談のような出来過ぎの皮肉です。

†カダフィはなぜ「大佐」？

リビアがイタリアの植民地から独立したのは1951年。3つの地域が一緒になって連合王国となり、1963年には「リビア王国」と改称しました。

しかし、1969年9月、国王が海外訪問中に、リビア軍の若手将校だったカダフィらがクーデターを起こし、リビア・アラブ共和国が成立しました。

クーデターを起こした将校たちは、革命評議会を組織し、カダフィは革命評議会議長に就任しました。いわば大統領です。このときのカダフィの肩書はカダフィ議長というわけです。

クーデターを起こしたときのカダフィの軍内部での地位は大尉《たいい》でした。それが、なぜ大佐になったのか。カダフィは、敬愛するエジプトのナセル大統領が、やはり軍事クーデターで政権を掌握したときの地位が大佐だったことから、それにならい、自分を大佐に昇格させ、「カダフィ大佐」と呼ばせたのです。

その後、1979年には一切の公職から退くと発表しました。ところが、これは建前《たてまえ》。実際には最高指導者であり続けました。リビア国内では、「指導者」と呼ばれました。

でも、これでは海外のメディアは呼び名に困ります。「カダフィ指導者」などという称号はありませんし、かといって、呼び捨てにもできません。そこで、公職から退いた後も、メディアは「カダフィ大佐」と呼び続けたというわけです。

†独特の「直接民主主義」

カダフィ大佐（ここでも、そう呼んでおきます）は、独自の政治思想を持っていました。欧米流の間接民主主義を「偽《いつわ》りの民主主義」と批判。直接民主主義を導入しようとしました。それが著書『緑の書』で展開した「ジャマーヒリーヤ」という概念です。ジャマーヒリーヤはカダフィ大佐による造語で、「大衆による政治」とでも言うべきものです。政党や国会は存在せず、人民の代表である「人民会議」が市町村や県レベルなど各段階に作られ、人々の意見は、ここから上部に吸い上げられる、という建前になっていました。

国名も「大リビア・アラブ社会主義人民ジャマーヒリーヤ国」にしてしまいました。

しかし、こんな政治制度が機能するはずがありません。実際には、裏でカダフィが君臨し、人々はカダフィやカダフィの部下の顔色をうかがいながら過ごす独裁国家でした。

ジャマーヒリーヤには国家元首というものはないことになっていたので、カダフィ大佐は公職を退《しりぞ》いた形になっていました。

しかし、誰かがカダフィの悪口を言おうものなら、すぐにその姿が消えるという実態が続きました。イメージとしては、北朝鮮でしょうか。

国旗を緑一色に

リビアの国旗は、カダフィ政権時代、緑一色というユニークなものでした。これはカダフィが癇癪《かんしゃく》を起こしたからだと言われています。

クーデターで政権を取ったカダフィ大佐は、1972年、エジプトとシリアが結成していた「アラブ共和国連邦」に参加します。このときは、いまのエジプトの国旗とよく似たものにしたのです。

しかし、3か国の連邦はうまくいかず、1977年にアラブ共和国連邦は解体します。この直後、エジプトのサダト大統領（ナセル大統領の後任）がイスラエルとの和平に動いたことに激怒したカダフィは、「エジプトと同じ国旗にしていられるか」とばかりに、国旗を緑一色にしてしまったのです。

緑はイスラムのシンボルカラーで、カダフィ大佐は、イスラム式社会主義をめざすことになります。
アラブの春で反カダフィ派は、リビア王国時代の国旗を復活させ、これを旗印にリビア政府軍と戦い、カダフィ政権崩壊後は、これを正式な国旗にしました。

†「砂漠の狂犬」と呼ばれた

リビアの最高指導者になったカダフィ大佐は、東西冷戦の中でソ連（ソビエト社会主義共和国連邦）に接近し、援助を受ける一方、反米の立場を鮮明にしました。世界各地の反米闘争を支援し、反米テロを企《くわだ》てます。この行動から、「砂漠の狂犬」と呼ばれました。

このため欧米諸国から経済制裁を受け、1986年には米軍による空爆を受けます。この爆撃で、カダフィ大佐の養女が死亡しています。米軍はカダフィ大佐の住居を狙って爆撃したのですが、カダフィ大佐は、「自分は砂漠の民であるベドウィンの出身である」として砂漠にテントを張って寝ることがあり、このときもテントにいて難を逃れたと言われています。

米軍の攻撃に対してカダフィ大佐は、アメリカのパンナム航空（正式にはパンアメリカン航空・現在は存在しない）の飛行機を爆破します。

パンナム機はロンドンからニューヨークに向かう途中、大西洋上空を飛行中に爆破されるように時限爆弾がセットされていましたが、出発が遅れたことから、イギリス上空で爆発。機体が地上に散乱し、中からリビアの情報部員の関与を裏付ける証拠が見つかってしまいます。

†突如として親米路線に

このように反米路線を突き進んでいたカダフィ大佐ですが、2001年のアメリカ同時多発テロ以降、アメリカがアフガニスタンやイラクを攻撃して、政権を崩壊に追い込む様子を見るや、突然態度を変えます。パンナム機爆破の責任を認めて遺族に賠償し、アメリカとの協調路線に舵《かじ》を切ります。

さらには、核開発など大量破壊兵器の開発を進めていたことを認めて、開発を中止します。

こうなると、アメリカのブッシュ大統領は、リビアに対する経済制裁を解除し、友好路線を取ります。

アメリカとの協調路線をとっても、国内では独裁政治を続けていましたが、アメリカは、「なまじ政権交代してイスラム原理主義勢力が力を持つよりは、現状維持が望ましい」との立場から、リビアの国内問題には口を出しませんでした。

†「アラブの春」が飛び火

しかし、2010年末、チュニジアで民主化運動が始まり、2011年になるとエジプトに運動が飛び火します。いわゆる「アラブの春」の始まりです。

これがリビア国内にも影響を与え、反政府運動が始まります。これに対し、カダフィ政権は政府軍を使って武力弾圧で応じますが、NATO（北大西洋条約機構）軍が、政府軍を空爆して弾圧を阻止。やがて42年続いたカダフィ政権の崩壊につながったのです。

国内に監視網を張り巡らし、住民を抑圧して盤石《ばんじゃく》の独裁政治を確立していたと思われていたカダフィ政権も、あっという間に崩壊してしまったのです。独裁政治の脆弱《ぜいじゃく》さを痛感します。

イラクはフセイン大統領の顔

独裁者が自分の顔を紙幣に入れるのは、リビアに限りません。イラクのフセイン大統領も、同じことをしていました。

イラクの旧紙幣には、ご覧のようにフセイン大統領の肖像が描かれていました。この紙幣は、2011年7月、私がイラクに取材に入った際、土産物として売られていたものを買ってきました。失墜した独裁者の肖像が描かれた紙幣は、貴重な土産物になるのですね。

この当時、イラク国内を自由に動き回ることはできず、防弾チョッキを着用し、銃を持った民間の警備員に守られながら、防弾車で移動しました。

首都バグダッドの中心部には、厳重に警備されたグリーンゾーンと呼ばれるエリアがあり、私はこの中の民間警備会社の宿舎に泊まりました。その夜、チグリス川の対岸からロケット弾が撃ち込まれましたが、私は熟睡。気がつきませんでした。

サダム・フセイン
1937-2006年。イラクの政治家。1979年の大統領就任後、1980年にイランに侵攻しイラン・イラク戦争を起こす。1990年にはクウェートに侵攻するが、多国籍軍との湾岸戦争に敗北。2003年のイラク戦争ではアメリカに拘束され、死刑に処された。

イラクの旧10ディナール

新政権の発行した新紙幣

2003年にアメリカがイラクを攻撃し、フセイン政権が崩壊すると、新政権はフセインの肖像が入っていないデザインの新紙幣を発行しました。もう、フセイン紙幣は流通していません。土産物店で買う対象なのです。

新紙幣の図柄は、1970年代に発行されていた古い紙幣そっくりです。リビアが古い国旗を復活させたように、イラクは古い紙幣のデザインを復活させたのです。

詐欺にご用心

イラクが紙幣を一新すると、これに乗じて金儲けしようという集団が日本に出現しました。

2010年以降、「米軍が撤退すれば貨幣価値は何倍にもなるから」と言って、イラクの紙幣を高額で買わせる詐欺《さぎ》事件が頻発しました。

米軍の本隊はイラクから撤退しましたが、その後、イラクのディナール紙幣の価値が跳ね上がったということはありません。それどころか、日本ではイラク・ディナールを買い取ってくれるところなど、ありません。イラクは、その後も国内の治安は改善せず、イラク・ディナールの価値が上がる気配はありません。外国通貨の取引には、くれぐれもご用心を。

第4章 ホメイニが睨《にら》む紙幣――イラン

†イランに新大統領

2013年6月、イランの大統領選挙が実施され、保守穏健派のハッサン・ロウハニ師が当選しました。

それまでのマフムード・アフマディネジャド大統領は、核開発を推進したことから、欧米諸国の経済制裁を受け、国内経済は疲弊。インフレが進んで、国民の不満が高まっていました。アフマディネジャド大統領の任期満了に伴う選挙で、保守強硬派の候補たちを破ってロウハニ師が当選を果たしました。前任者と異なり、ロウハニ師は国際社会と協調を図《はか》ろうとしていることから、イランの路線が大きく変わるのではないかとの期待も高まっています。

†しかし最高指導者がいる

その一方、イランには大統領より上に最高指導者が存在します。最高指導者が国家元首で、国軍の最高司令官も兼ね、大統領を指導する立場なのです。

ハッサン・ロウハニ
1948年-。イランの政治家、法律家、イスラム教シーア派の聖職者。2013年より大統領に就任し、国際社会との協調路線を図っている。

イラン革命35周年セレモニーのロウハニ師　© EPA=時事

アリ・ハメネイ（左）
1939年-。イランの第2代最高指導者。シーア派の宗教指導者。1981年から大統領を務め、1989年の初代最高指導者ホメイニの死後、後継に選ばれた。
マフムード・アフマディネジャド（右）
1956年-。イランの政治家。1979年のイラン革命後、イスラム法学者の統治に忠誠を誓う革命防衛隊に入隊する。2005年から2013年まで保守大統領を務めた。

ハメネイ師とアハマディネジャド大統領の会合　© AFP=時事

大統領は国民が選挙で選べても、最高指導者を国民が選ぶことはできません。最高指導者は、イスラム法学者の専門家会議によって選出されます。任期の定めはなく、終身制です。

つまり、大統領が穏健派になっても、最高指導者が核開発の継続を命じれば、大統領は従わなくてはならないのです。

さらにイランには、国軍とは別に革命防衛隊という軍事組織が存在します。アフマディネジャド大統領は、ここの出身でした。徴兵《ちょうへい》制のイランでは、国軍兵士は一般市民出身者です。彼らは国民の不満を敏感に感じるだけに、いつクーデターを起こすかわかりません。そこで、国軍が政府に刃向かうことがあれば、革命防衛隊が出動するというわけです。このため、革命防衛隊の装備は、国軍を上回っているのです。最高指導者は、この革命防衛隊の指揮官に命令することができる立場でもあるのです。

†ホメイニ師のイスラム革命

現在の最高指導者はアリ・ハメネイ師ですが、その前任者で最初の最高指導者は、ル

ルッホラー・ホメイニ
1902-1989年。イランの宗教家・政治家。イラン革命の最高指導者。パーレビ国王の弾圧政治に反対して国外に追放されたが、1979年の臨時革命政府の樹立で帰国し、イラン・イスラム共和国を成立させる。

ホメイニ師の睨む1万イラン・リアル

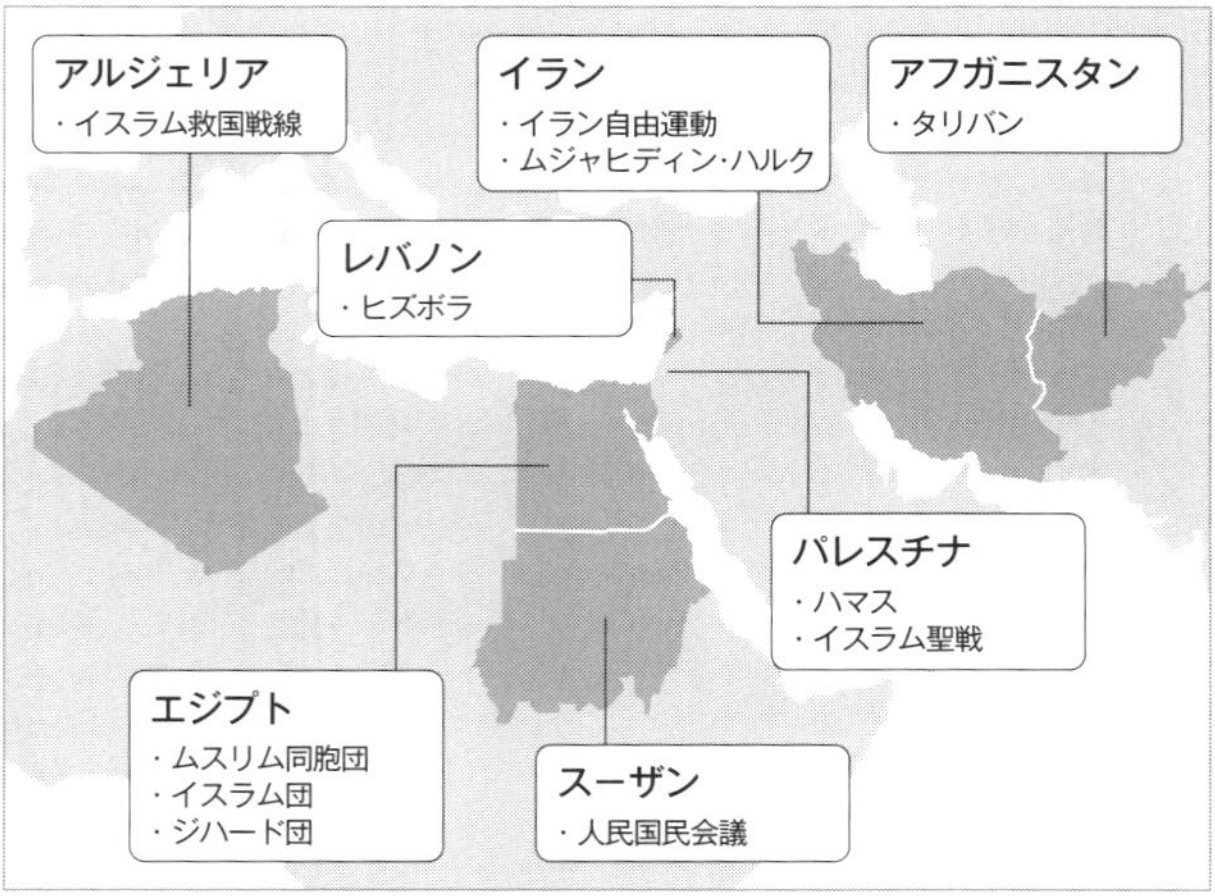

主なイスラム原理主義団体
『[図解] 池上彰の世界の宗教が面白いほどわかる本』(中経出版) をもとに作成

ッホラー・ホメイニ師でした。ご覧のようにイランの各紙幣には、ホメイニ師の肖像が描かれています。厳しい顔つきは、厳格なイスラム原理主義者であることを窺《うかが》わせています。

ホメイニ師が政権を取ったのは1979年。政教一致のイスラム原理国家が成立したことから、当時は、「近代的な国家が、まるで中世に返るかのような歴史の逆転が起きた」とも称されました。

ところが、その後、イスラム原理主義運動が世界各地で盛り上がり、アフガニスタンのタリバン政権のような政教一致のイスラム国家が誕生するようになったのを見ますと、イラン革命は、むしろ歴史の先取りだったのかもしれません。

1951年、イランでは、民族主義者のモハンマド・モサデク首相が、イギリス資本の油田を国有化したことから、イギリスを敵に回して軍事封鎖されます。この封鎖の隙《すき》を突いて石油タンカー「日章丸《につしようまる》」を派遣し、石油を安く買い取ったのが、日本の民間資本の出光《いでみつ》興産でした。この様子は、2013年の本屋大賞を受賞した『海賊とよばれた男』（講談社、2012年）のハイライトとして描かれています。

パーレビ国王の顔を塗りつぶした50リアル

パーレビ国王
1919–1980年。イラン・パーレビ朝の第2代国王。1953年にモサデク政権の運動で国外退避したが、アメリカの反クーデターの成功で帰国。1979年の国民蜂起で再びイランを出国後に死去。

塗りつぶされる前

しかし、イギリスやアメリカの怒りを買ったモサデク首相は、アメリカのCIA（中央情報局）が仕組んだクーデターによって失脚します。

その後、パーレビ国王の下で親米国家となったイランでは、貧富の格差が拡大。国民の不満が爆発し、ホメイニ師を指導者とするイラン革命が勃発したのです。

イラン革命によって、パーレビ国王は国外逃亡。その後、パーレビ国王が描かれている紙幣を使うわけにはいかないと、ご覧のように印刷で顔を塗りつぶして使用したのです。

前に取り上げたように、リビアの場合は、カダフィ大佐の肖像を人々が勝手に塗りつぶしていましたが、革命後のイランは、国策として国王の顔を消してしまったのです。

黒いターバンはムハンマドの血筋

ホメイニ師もハメネイ師も、頭に黒いターバンを巻いています。黒いターバンは、イスラム教の創始者であるムハンマドの血を引いていることを示しています。

イスラム教は大別してスンニ派とシーア派に分かれています。たとえばサウジアラビアやエジプトなどアラブの多くの国ではスンニ派が多数ですが、イランはシーア派の国です。

そもそもは、イスラム教の創始者で預言者（神の言葉を預かった人）とされるムハンマドの後継者をどうするかという後継者争いから2つの派に分かれました。

ムハンマドは西暦632年に亡くなります。この後、信徒たちは、ムハンマドの後継者・代理人（カリフ）を誰にするかで分裂します。

後継者は、ムハンマドの血筋を受け継ぐ者でなくてはならないと考える人たちは、ム

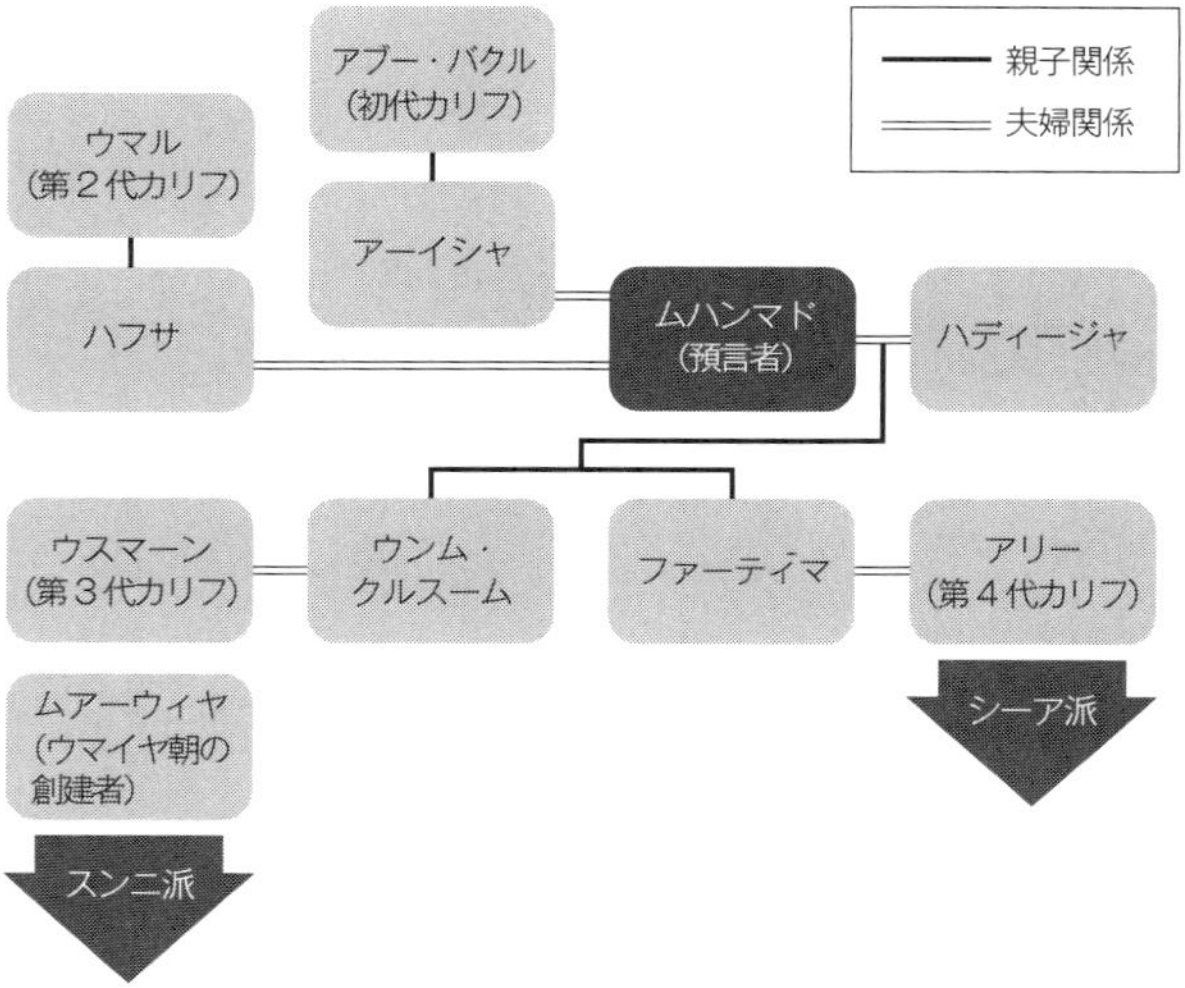

	スンニ派	シーア派
信者	約85%	約15%
聖典	コーラン	
イスラム法の法源※1	ムハンマドの言行	
	法学者(ウラマー)の見解	
	『イジュマー(合意)』	歴代イマームの言行など
イマーム※2の位置づけ	カリフの尊称、集団礼拝の指導者	アリーの子孫で最高指導者
聖地	メッカ、メディナ、エルサレム	
		カリバラー、ナジャフ、コムなど

※1 法の存在形式のこと　※2 イスラム共同体の指導者

スンニ派とシーア派と違い

『[図解] 池上彰の世界の宗教が面白いほどわかる本』(中経出版) をもとに作成

ハンマドの従弟でムハンマドの娘と結婚したアリーこそがカリフにふさわしいと考えます。彼らは「アリーの党派」と呼ばれました。そのうちに彼らは単に「党派」(シーア)と呼ばれるようになります。つまり「シーア派」とは、厳密に言えば「党派・派」という意味になります。

一方、血筋に関係なく話し合いで実力者を選出すればいいとする多数派は、イスラムの慣習にもとづいた統治をすればいいと考え、「スンナ」(慣習)派と呼ばれるようになります。世界史の教科書では「スンナ」と記載されますが、日本のマスコミはなぜか「スンニ派」と表記するので、ここではこれに従います。

†アラブ系を忌避する人も

アリーの血筋を大切にするシーア派にしてみれば、ムハンマドの血を引く人物は、最高指導者としてふさわしいということになります。

その一方で、これに反発する意識も、イラン国民の中にはあります。あるイラン人は、私にこう説明してくれました。

ムハンマドはアラビア半島出身者でした。つまりアラブ人です。ということは、黒いターバンを巻いた人たちはアラブ系だということになります。これに対して、イラン国民の大多数はペルシャ人。ペルシャ人は誇り高く、自分たちはアーリア人の子孫であるというプライドがあります。アラブ人があまり好きではないという人が多いのです。つまり、教義の上では黒いターバンの人たちを敬わなければならないけれど、アラブ系に対する生理的な嫌悪感もまた持っている、と。

†ロウハニ師はペルシャ系

その点、新大統領のロウハニ師は、白いターバンを巻いています。ムハンマドの血を引いてはいないけれど、ペルシャ人なのです。

ところで、ホメイニ師やハメネイ師、ロウハニ師と、「師」の敬称がつくのは、彼らが宗教指導者であることを示しています。イスラム法学者とも表現します。

一方、アフマディネジャド大統領は、ターバンを巻いていません。宗教指導者ではないことを示しています。

また、アフマディネジャド大統領は、ネクタイをしていません。これは、イラン革命以降、「ネクタイは欧米文化」という意識が広がったためです。ノーネクタイ姿には、「欧米の文化を拒絶する」という意味があります。

†イスラム法学者が指導する

最高指導者は、イスラム法学者でなければならない。これがイランの政治体制で、「ヴェラヤテ・ファギーフ」(イスラム法学者による統治)といいます。この理論を編み出したのが、ホメイニ師でした。これは、次のような理由からです。

いまから1400年前のこと。預言者ムハンマド亡き後、後継者として、3代続いて信徒たちの中の実力者がカリフ(信徒の指導者)に選出されますが、4代目になってようやくアリーがカリフに選ばれました。

しかし、アリーのことを快《こころよ》く思わないグループによって、アリーは暗殺されてしまいます。

これ以降、アリーの党派(シーア派)は、アリーの後継者として選ばれたカリフを認めません。それどころか、アリーより前に選出された3人のカリフも正統なカリフと認めませんでした。

そこでアリーの党派は、カリフという地位を認めず、代わって「イマーム」と呼ぶ人物を指導者に仰《あお》ぐようになりました。イマームとは、ムハンマドの血筋を引き、イスラム世界の指導者としての資質を持つ人という意味です。

実はスンニ派にもイマームと呼ばれる人がいますが、スンニ派の場合は、単に礼拝のときの導師のことです。

アリーの党派にとって初代のイマームは、もちろんアリーです。アリーが暗殺された後は、アリーの長男が2代目イマームに、アリーの次男が3代目イマームに就任します。以後、3代目イマームの子孫が、4代目、5代目に就任していきます。

ところが、困ったことが起きました。西暦874年、12代イマームが突然姿を消してしまうのです。

困惑した信徒たちは、この事態の解釈に困り、12代イマームが「お隠れになった」と考えました。12代イマームは、一時的に信徒たちの前から姿を隠しただけである。やがて世界の終わりが来たときには、救世主（マフディ）として出現し、人々を救済し、天国へと導いてくれると信じたのです。

イランの隣国イラクのシーア派の中の強硬派が「マフディ軍」という軍事組織を持っていますが、この名前は、ここから来ています。

イスラム教では、この世界にはやがて終わりが来て、人々は神（アッラー）の審判を受け、天国か地獄に振り分けられるとされています。このとき救世主が助けてくれれば、それこそ「救い」になるでしょう。シーア派の中でも、このように信じるグループは、「12イマーム派」と呼ばれるようになりました。イラン国民の多くが、この派に属します。

しかし問題は、12代イマームが再臨するまで、誰が人々を指導するのか、ということです。これに関して独自の理論を打ち出したのが、ホメイニ師でした。

ホメイニ師は、隠れイマームが再臨するまでの間、イスラム法学者が宗教上の指導ばかりでなく、政治権力も掌握して統治すべきだと主張したのです。これが「イスラム法学者による統治」論です。

では、いつ12代イマームが再臨するのか。それはわからないのですね。でも、私のような部外者から見れば、12代イマームが再臨したとき、人々はそれを認識できるのか、と疑問に思うのですが、イランの人々は、「12代イマームは素晴らしい人だから、出現したら誰でもわかる」と考えているそうです。宗教というのは、そういうものなのでしょうね。

†イランの核開発

イランが国際社会で問題とされるのは、核開発の疑惑があるからです。きっかけは2002年のことでした。イランの反体制派が、秘密裡《り》にウラン濃縮など核開発を進めていると告発したことで、核開発疑惑が表面化しました。

当時のイランは、穏健改革派のモハンマド・ハタミ大統領でした。ハタミ大統領は、国際社会の非難を浴びたことから、2004年にウランの濃縮作業を停止しました。このときロウハニ師は、ハタミ大統領の下で、世界各国と協議する窓口役を務めました。つまり、一度は核開発を中止した責任者のひとりだったのです。

ところが2005年、アフマディネジャド大統領になると、一転してウラン濃縮作業を再開します。「平和的な核開発の権利はある」と主張し、国際社会の批判を無視して、ウラン濃縮施設を次々に拡大していったのです。

これに対して国際社会は、イランに対する経済制裁を実施しました。イランからの原油購入をボイコットすると共に、アメリカは、世界各国の銀行に対して、イランの通貨リアルの交換業務を停止するように求めました。

こうなると、通貨の価値が下がります。通貨価値が下がったことで、経済はインフレになります。経済制裁が始まった2011年以降、年率30％もの猛烈なインフレに見舞われているのです。物価上昇で庶民は困窮。

今回の選挙結果は、こうしたことに不満を持った国民が、保守強硬派の候補者を嫌い、ロウハニ師が当選を果たしたのです。

イランの紙幣に描かれたホメイニ師が設計した国家体制が続くイラン。国民が、そこから逸脱しないように紙幣から監視しているように見えるのです。

第5章

ユーロ危機を招いたギリシャ——ヨーロッパ

†ドラクマが復活?

写真の紙幣をご覧になったことがありますか? 日本ではあまりお目にかからないお札だと思います。これは、ギリシャがヨーロッパの共通通貨ユーロを導入する前に使用していたドラクマ紙幣です。

ひょっとしたら、これが復活するかもしれない。多くのヨーロッパの人々がそう思った時期もありました。いわゆるユーロ危機です。ユーロ危機は、別々の主権国家が共通の通貨を使用することのむずかしさを痛感させました。ギリシャがヨーロッパにもたらした危機を振り返ってみましょう。

†それは政権交代から始まった

ギリシャ危機が表面化したのは、2009年秋の政権交代がきっかけでした。中道左派のゲオルギオス・アンドレアス・パパンドレウ首相率いる新政権が誕生し、財政状態を調べたところ、前政権がEU(欧州連合)に報告していた財政赤字の数字が操作され

ユーロ導入前のギリシャのドラクマ

EU 加盟国とユーロ加盟国

ていたことが判明しました。2009年の財政赤字は、GDP（国内総生産）比で前政権が公表していた数値の4倍にも上る12・7％に達していました。

この事実が判明すると、ギリシャの国債《こくさい》は、高い金利をつけないと売れない状態に陥りました。2001年にギリシャがEUに加盟すると、信用度の高いドイツ国債との利回りの差は0・3％程度に収まっていたのですが、その差が一挙に4％近くに拡大しました。

さらに2010年4月になって、EU統計局が精査したところ、財政赤字は、実際にはさらに深刻で、GDP比で13・6％に達していました。なんともいい加減なものです。

この発表を受けて、ギリシャ国債の売買価格は暴落。10年物（返済まで10年の長期国債）の利回りは8・79％にまで上昇しました。

国債は、政府が発行後、購入した金融機関同士で売買されています。その国債に対する需要が高くなれば、売買価格は上昇。でも、満期になって戻ってくる金額に変わりはありませんから、差額の利子分は減ります。つまり金利《きんり》が低くなるのです。

一方、人気が下がって売買価格が下落すれば、差額の利子分は増えます。つまり金利は高くなるのです。

ギリシャ国債を買う人は激減し、売買価格が急降下した結果、金利が上昇したのです。欧州の国の金利の指標になるドイツ国債10年物との利回りの差は6％に拡大しました。つまりギリシャ国債は、信用度の高いドイツ国債に比べて、金利を6％上乗せしないと売れない状態に陥ったのです。

こうなると、新規の国債発行でも高い金利をつけないと売れません。金利が高くなると、返済は困難になります。財政赤字に悩むギリシャの財政状態が、一段と困難な状況に陥ったのです。

†ギリシャ政府、EUとIMFに支援要請

当初の財政赤字発覚で困ったギリシャ政府は2010年3月、EUに対して支援を要請しました。EU首脳は支援で合意。ギリシャの財政危機はいったん一段落したと思われていました。

ところが、新たに深刻な状況が判明して国債金利が暴騰《ぼうとう》したことで、ギリシャ政府は、

ＥＵによる本格的な支援を待つ余裕がなくなり、４月、ＥＵとＩＭＦ（国際通貨基金）に緊急融資を要請しました。国債を発行して政府の予算を組むことができないから、お金を貸して、というわけです。

これを受けて、ＩＭＦは支援を決定します。支援額は、４５０億ユーロ（当時の日本円で5兆６０００億円）と、ＩＭＦによる支援としては最大規模に達しました。いつもは開発途上国への支援が多いＩＭＦにとって、ユーロ加盟国への支援は初めてのことです。

さらにＥＵのユーロ圏16か国も、ギリシャへの３００億ユーロ（当時の日本円で約３兆７０００億円）の緊急融資を決めました。ユーロ圏とは、ＥＵの中で共通通貨ユーロを導入している国々のことです。「ユーロ・ランド」という言い方もあります。

自力で借金ができなくなったのですから、一般企業なら破産です。ギリシャが、国家として「破産状態」にあることが明らかになったのです。

これを受けて、アメリカの格付け会社スタンダード・アンド・プアーズ（Ｓ＆Ｐ）がギリシャの国債を格下げし、さらにポルトガルも財政状態がよくないとして、格下げ。

これにより、ユーロ不安が巻き起こりました。

†ギリシャはユーロにしたかった

ギリシャは2001年にユーロ圏に加盟し、それまでの通貨ドラクマを捨て、共通通貨ユーロを使うようになりました。観光立国ギリシャとしては、ユーロ圏に入れば、ユーロ諸国の人たちが通貨を両替せずに入国できるので、観光客の増大が見込めるという思惑がありました。

ドラクマ建ての国債は、どうしても信用が低く、高い金利をつけなければ売れませんが、ユーロ建てで国債を発行できれば、ドイツ並みに低い金利で済むという期待もありました。

ところが、ユーロ圏に加盟するためには、厳しい条件があります。財政赤字が、GDP比で3%未満でなければなりません。借金大国は仲間に入れないというルールです。ギリシャは、財政状態を正直に申告すると、この条件を満たすことができませんでした。そのウソが、政権交代でばれてしまったのです。

†ポピュリズムだった政府

なぜギリシャが「破産状態」に追い込まれたのか。ギリシャは前政権時代、ポピュリズム（人気とり）政策により、政権を維持するため、バラマキ政策を繰り広げ、これが財政状態の悪化を招きました。

また、ギリシャの年金制度はヨーロッパ諸国の中でも恵まれていて、早期退職しても年金の給付が受けられる上、給付額も手厚くなっていたのです。

さらに選挙のたびに、支持者を公務員として採用するという人気とりを続けていたため、公務員の比率が極めて高くなっていました。もちろん公務員の給与水準も高レベルです。

その上ギリシャでは、脱税が横行《おうこう》していました。商店の場合、買い物客に対し、「レシートを受け取らなければ割引する」と持ちかけるのが一般的でした。レジでレシートを発行すると、それが売上高となって納税の際の証拠になります。レシートを発行しないで済めば、その分は売り上げに計上せず、脱税できるからです。

この危機に、ギリシャ政府は、年金の支給開始年齢の引き上げや、公務員給与の切り下げなどの対策を打ち出しましたが、これに労働組合が反発。ストライキが続発し、脆《ぜい》弱《じゃく》なギリシャ経済の一段の悪化をもたらしました。

†欧州全体に金融不安

ギリシャの国債暴落は、ギリシャだけの問題ではありませんでした。ヨーロッパの多くの銀行が、ギリシャ国債を持っていたため、金融危機はヨーロッパ全体に広がりました。

なぜ多額の国債を持っていたのか。ヨーロッパ全体の金利が低かったからです。民間銀行は欧州中央銀行（ECB）から1％の金利で資金を借りることができます。その一方、ギリシャ国債の金利は、ギリシャの財政赤字が表面化する前の段階で5％程度でした。欧州中央銀行から借りた資金でギリシャ国債を買えば、金利差分だけ楽に利益を上げることができたのです。

それだけに、ギリシャ国債の暴落は、ヨーロッパの金融機関の巨額損失につながりかねません。ヨーロッパの金融機関に対する不安が広がり、ユーロ安になったのです。

ギリシャを救わないと、EU全体の信用問題に関わる。これに気づいたEU各国は、しぶしぶギリシャ救済に動きました。2010年5月、EUは、IMFの支援とは別に、総額7500億ユーロ（当時の日本円で90兆5000億円）にも上る緊急対策「欧州金融安定化メカニズム」を創設することで合意しました。

✝PIGSに危機拡大

ギリシャ危機が深刻だったのは、問題がギリシャ一国にはとどまらなかったことです。ギリシャ国債が暴落すると、スペインやポルトガルの国債も値を下げました。ギリシャほどではないにせよ、やはり財政危機を抱えているからです。

この結果、PIGS（豚）という言葉が生まれました。これは、ポルトガル、イタリア、ギリシャ、スペインの頭文字をつなげたものです。財政危機が深刻で、国家破産の危機に瀕《ひん》する国々です。これにアイルランドのIを加えて「PIIGS」とも表記されました。

アイルランドを除き、南欧のラテン諸国ばかりです。やはりラテン気質なのでしょうか。

ギリシャの危機を放置していては、危機がEU全体に拡大しかねないため、ドイツやフランスなどEUの中の大国は、ギリシャ支援に動きました。

しかし、ドイツ国内からは、「勝手なことをしていて破綻したギリシャのために、なぜ我が国が多額の支援をしなければならないのか」という不満が噴出。ギリシャをユーロ圏から追放すべきだ、という強硬論も台頭しました。

また、ギリシャにしても、ユーロから離脱してドラクマに戻れば、通貨は暴落しますが、そのぶん通貨安になって輸出には有利になり、かえって経済再建には有利なのではないかとの声も出ました。その結果、本章の冒頭に述べたドラクマの復活論が台頭したのです。

とはいえユーロ加盟国の減少は、EUそのものの危機に直結します。ギリシャにしても、ユーロからの離脱はあまりにリスクが高すぎました。結局、ユーロ圏に留まり、EU諸国やIMFの支援で、最悪の事態を脱することができたのです。

†そもそもEU（欧州連合）とは

そのEUはどうして誕生したのでしょうか。そこには、ヨーロッパから戦争をなくしたいという人々の願いが込められていました。

第二次世界大戦の結果、ヨーロッパは焦土《しょうど》と化しました。この反省から、ヨーロッパから戦争をなくそう、そのためにヨーロッパをひとつの共同体にしようという声が上がります。こうした人々の声が、欧州統合に道を開くのです。

まずは1950年、フランスとの国境に近いドイツのルール地方に製鋼所を建てる計画が持ち上がります。この地域は、過去にしばしばドイツとフランスが奪い合った土地。ドイツが工業大国として復活することをフランスは恐れました。

そこで、ドイツの生産を国際管理する仕組みを作って、その計画を承認することになりました。

それが1952年に発足した「ヨーロッパ石炭鉄鋼共同体」（ECSC）です。発足時にはフランス、西ドイツ（当時）両国に加え、イタリアやオランダ、ベルギー、ルクセンブルクの合計6か国が参加しました。

さらに1957年には同じ6か国からなる「ヨーロッパ経済共同体」（EEC）、「ヨーロッパ原子力共同体」（EURATOM）が誕生しました。EECは、域内での関税を廃止し、ひとつの共通市場を作り出そうとしました。

これがうまくいったことから、1967年には「ヨーロッパ共同体」（EC）が発足しました。

ここに周辺国も参加するようになります。イギリスやデンマーク、アイルランドも、1973年に加盟します。

1980年代に入ると、ギリシャやスペイン、ポルトガルも加わり、合計で12か国の大所帯となりました。

†ECからEUへ

現在のEUの原型を築いたのは、1992年2月に調印された「マーストリヒト条約」です。オランダの保養地マーストリヒトで調印されたので、この名前があります。

この条約で、単一通貨の導入と「欧州中央銀行」(ＥＣＢ)の設立を決めたのです。広い範囲で流通する単一通貨ができれば、企業が域内の別の国に進出する際に、為替の変動を心配しなくてもすむようになります。域内の他国への進出が容易になり、経済の活性化が期待できます。

また、単一通貨になれば、同じような商品の値段を比較しやすくなり、割高な物価が下がるなどの効果も期待できます。これが激しい競争を呼び、経済の活性化につながるだろうと考えられました。

ＥＣでは、主に経済分野での協力に重点が置かれていましたが、ＥＵでは、より幅広い分野で、加盟各国が協力し合う体制がつくられるようになりました。

経済だけでなく、内政・外交も含めた多くの分野で、共通の政策をとる仕組みを進展させたこと。このことも、ＥＵの大きな特徴でした。

こうして１９９３年11月１日、イギリス、ドイツ、フランスなど15か国が加盟するＥＵが発足しました。

†そしてユーロが始まった

共通通貨ユーロが導入されたのは、1999年1月1日でした。当初は、EUに加盟する国のうち、ドイツ、フランス、イタリア、オーストリア、アイルランド、ベルギー、ルクセンブルク、オランダ、ポルトガル、スペイン、フィンランドの計11か国で発足しました。

その後、ギリシャ、スロベニア、キプロス、マルタ、スロバキアが加わり、2011年1月からはエストニア、2014年からラトビアも加盟し、現在は18か国になっています。また、EUに加盟していなくてもアンドラ公国やモナコ公国などユーロを使用している国があり、ユーロを導入している国は24か国にのぼります。

ちなみにEUに加盟している国でもイギリスは通貨同盟に加わっていません。いまでも独自の通貨ポンドを使っています。

ユーロ導入と共に、EUの中央銀行である欧州中央銀行（ECB）が設立されました。各国の中央銀行が、その国の金利を決めるように、ECBがユーロ加盟国に適用される

50
© BCE ECB EZB EKT EKP 2001
50
50
50EURO
ΕΥΡΩ
50
© BCE ECB EZB EKT EKP 2002
100
100EURO
ΕΥΡΩ
500
© BCE ECB EZB EKT EKP 2001
500
500
500EURO
ΕΥΡΩ
500
共通通貨ユーロ

金利を決定します。

しかしユーロには、発足当初から指摘されている構造的な問題が2つあります。

そのひとつは、ユーロ加盟国の金融政策は欧州中央銀行が決めるのに対して、財政政策は各国の政府に任されていることです。

たとえば独立国ですと、景気が悪化すると、中央銀行が金利を引き下げ、政府が財政支出を拡大して景気を下支えするという連係プレーがとれます。

ところが、ユーロ・ランドの各国の経済状態や財政状態はバラバラです。財政状態の悪い国が発行する国債の金利は高くなりますから、加盟国全体の金利水準をコントロールすることが困難になります。

そこで、ユーロを導入する国は、財政状態を健全に保つための基準を守ることが求められたのです。

ギリシャは、この基準を満たすことができず、数字を操作していました。

この財政基準を守ることは、ユーロ加盟国にとって辛いことです。景気が悪ければ、公共事業の拡大など独自の財政政策をとりたくなりますが、それによって財政赤字が増えてしまっては、ユーロ加盟基準を守れなくなるからです。ユーロに加盟したことで、財政政策に枠がはめられてしまっているのです。

もうひとつの問題は、為替相場の変動で景気回復という方法がとれないことです。単独の通貨を維持していると、景気が悪化すれば、その国の通貨の為替相場は下落します。為替レートが下がれば、輸出商品の価格が下がりますから、輸出を通じて景気回復が進みます。

ところが、ユーロの為替相場は、ユーロ加盟国全体の景気状態で決まります。ギリシャだけが為替相場を切り下げて輸出を増やすことはできないのです。

こうなると、独自の財政政策や為替政策、金利政策を使いたいからユーロを離脱する、という国が出てこないとも限りません。これが「ドラクマの誘惑」です。

†それでもEUは拡大する

こうした問題点を抱えながらも、ＥＵは拡大を続けています。

15か国による発足以来、２００４年にチェコなど旧共産圏をはじめとする10か国が、

2007年にはルーマニアとブルガリアの2か国が加盟。そして2013年7月、旧ユーゴスラビアのクロアチアが加盟。発足時の2倍近い28か国がEUに参加しています。

ユーロ危機を乗り越え、ギリシャの離脱も防ぎながら、今後もEUは拡大を続けていくのでしょう。

第6章 紙幣は2種類——ボスニア・ヘルツェゴビナ

†ひとつの国で2種類の紙幣

これまでさまざまな紙幣を見てきましたが、1国の中で2種類のお札が流通しているという、ちょっと変わった国があります。それが、旧ユーゴスラビアのボスニア・ヘルツェゴビナです。

10マルカと20マルカの紙幣をご覧ください。それぞれ肖像画が異なりますが、どちらもボスニア・ヘルツェゴビナの紙幣です。

紙幣の上部に文字列が2段。下部にも文字列が2段になっています。

よく見ると、片方の紙幣は、上段がラテン文字（ローマ字）で下段がキリル文字。もう一方は、上段がキリル文字で下段がラテン文字（ローマ字）です。

どちらも上段には「ボスニア・ヘルツェゴビナ中央銀行」と書いてあります。下段は、貨幣単位である「兌換《だかん》マルク」と書いてあります。「兌換マルク」がどういうものかは、後で説明します。

ボスニア・ヘルツェゴビナは、ラテン文字（ローマ字）を使用するボスニア・ヘルツ

C6829777
CENTRALNA BANKA BOSNE I HERCEGOVINE
ЦЕНТРАЛНА БАНКА БОСНЕ И ХЕРЦЕГОВИНЕ
10
KONVERTIBILNIH MARAKA
КОНВЕРТИБИЛНИХ МАРАКА
DESET KONVERTIBILNIH MARAKA
ДЕСЕТ КОНВЕРТИБИЛНИХ МАРАКА
CENTRALNA BANKA BOSNE I HERCEGOVINE ―ラテン文字
ЦЕНТРАЛНА БАНКА БОСНЕ И ХЕРЦЕГОВИНЕ ―キリル文字

A7840104
ЦЕНТРАЛНА БАНКА БОСНЕ И ХЕРЦЕГОВИНЕ
CENTRALNA BANKA BOSNE I HERCEGOVINE
10
КОНВЕРТИБИЛНИХ МАРАКА
KONVERTIBILNIH MARAKA
ДЕСЕТ КОНВЕРТИБИЛНИХ МАРАКА
DESET KONVERTIBILNIH MARAKA
ЦЕНТРАЛНА БАНКА БОСНЕ И ХЕРЦЕГОВИНЕ ―キリル文字
CENTRALNA BANKA BOSNE I HERCEGOVINE ―ラテン文字

2種類の10マルカ。
共に「ボスニア・ヘルツェゴビナ中央銀行」と書かれている

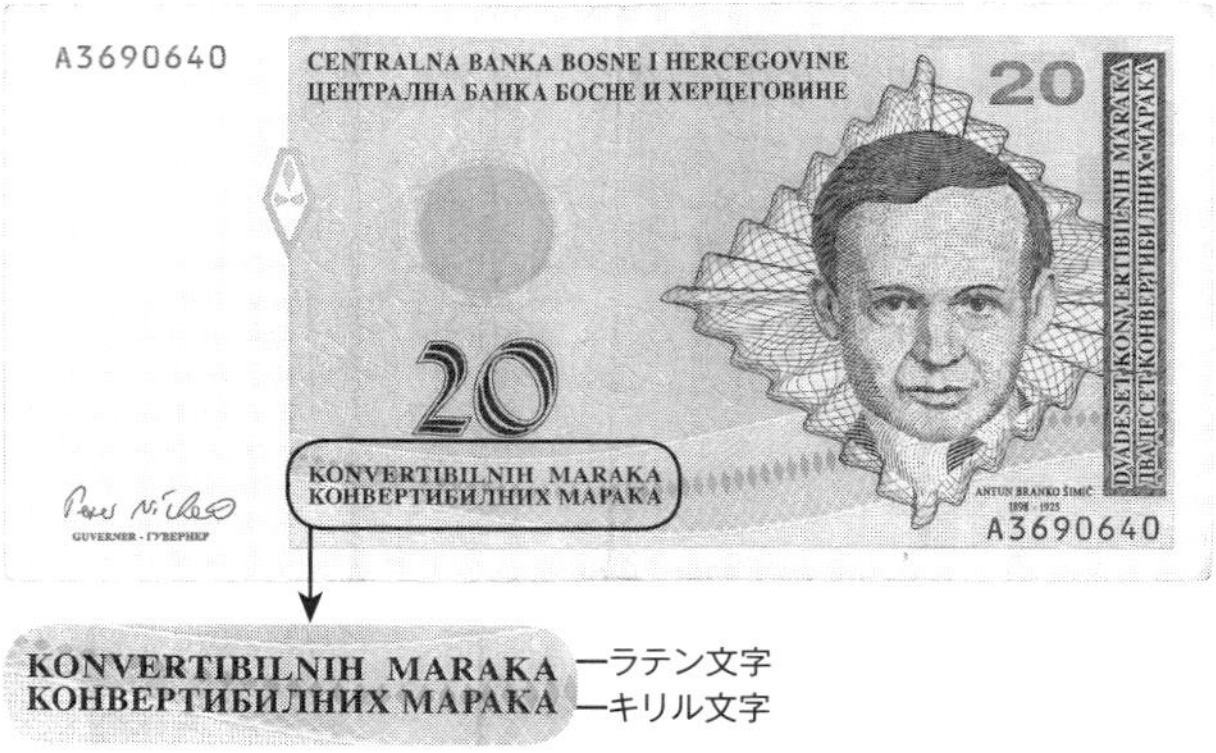

2種類の20マルカ。共に「兌換マルク」と書かれている

ェゴビナ連邦と、キリル文字を使うスルプスカ共和国（セルビア人共和国）の2つからなる連邦国家なので、2種類の紙幣を通用させているのです。

連邦国家の名称がボスニア・ヘルツェゴビナなのに、それを構成する2つの国家の片方の名前はボスニア・ヘルツェゴビナ連邦。非常に不思議な名前の組み合わせになっています。これは、ボスニア・ヘルツェゴビナ連邦が、ムスリム（イスラム教徒）とクロアチア人の連邦としてまとまっているからです。

つまり、ムスリムとクロアチア人が一緒になってボスニア・ヘルツェゴビナ連邦となり、さらにスルプスカ共和国（セルビア人共和国）と一緒になってボスニア・ヘルツェゴビナを構成しているのです。

なんとも複雑な民族構成であることがわかります。これが原因で、悲惨な内戦を惹き起こしたのです。結局、国の中を2つに分け、全体としては連邦国家として再出発を果たしました。紙幣を発行するのはボスニア・ヘルツェゴビナ中央銀行ただひとつですが、そこで発行している紙幣は2種類。それぞれの言語で表記されることになったのです。どちらも国内全域で使用可能ですが、2つの紙幣を発行せざるをえないほど、対立の歴史があるのです。悲劇の歴史を振り返ってみましょう。

†五輪会場が墓地になった

ボスニア・ヘルツェゴビナは、バルカン半島の北西部に位置します。首都はサラエボ。サラエボといえば、ユーゴスラビア時代の1984年、冬季オリンピックが開かれた場所です。1992年にボスニア・ヘルツェゴビナがユーゴスラビアからの独立を宣言して始まった内戦では、多数の死者が出て、墓地が不足。オリンピックの会場となった場所に急ごしらえの墓地ができてしまいました。

私はここを取材したことがあります。五輪のマークが描かれた柱の横に延々と広がる墓地の光景には、言葉を失いました。

ここばかりではありません。市内各所に点在する公園も、軒並《のきな》み墓地になっているのです。

墓地が広がるサラエボ五輪の跡地　　© AFP=時事

複雑なボスニア・ヘルツェゴビナの国境

†複雑な構成だった旧ユーゴスラビア

第二次世界大戦後、社会主義国として成立したユーゴスラビア社会主義連邦共和国は、「1から7の共和国」と呼ばれました。「1つの国家、2つの文字、3つの宗教、4つの言語、5つの民族、6つの共和国、7つの国境」というわけです。

これだけ多様な人々によって成り立った国家は、カリスマ指導者ヨシップ・ブロズ・チトーによってまとまっていました。第二次世界大戦でドイツに占領されたこの地域を、チトー率いるパルチザン（武装抵抗組織）が解放して、独立を果たしたからです。

国家体制としては社会主義国になりましたが、スターリン率いるソ連（ソビエト社会主義共和国連邦）とは対立しました。強大なソ連の横にあって、アメリカなどの資本主義諸国には頼れない。この危機感から、多様な民族がひとつにまとまることができたのです。

ヨシップ・ブロズ・チトー
1892-1980年。旧ユーゴスラビアの政治家。第二次世界大戦中にパルチザンの最高司令官として活動。終戦後、大統領および共産主義者同盟の最高指導者として東欧圏の再編成に尽力した。

チェコスロバキアを訪れるチトー　　©CTK／時事通信フォト

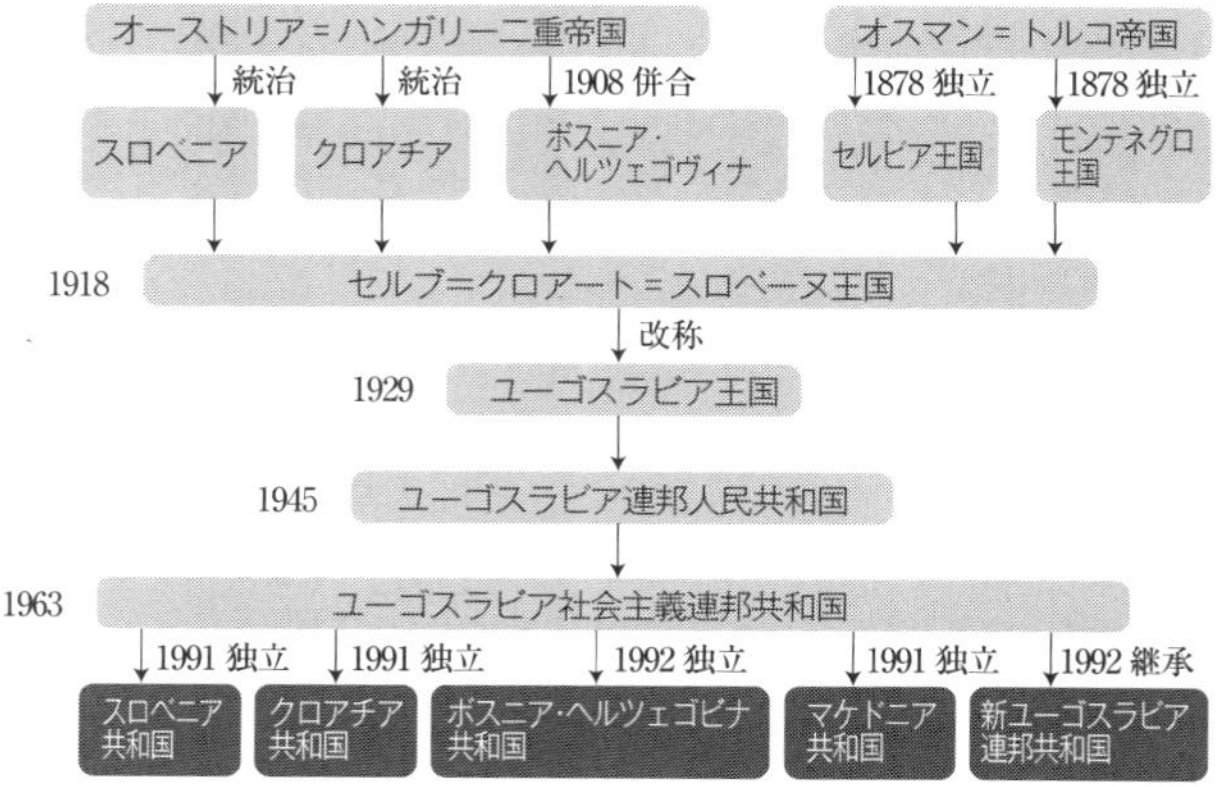

ユーゴスラビアの変遷

†ボスニアだけは民族国家にならず

ユーゴスラビア連邦の中では、連邦を構成する各共和国が、セルビアやクロアチアなど民族ごとにまとまりましたが、ボスニア・ヘルツェゴビナは、いくつもの民族が混在していたため、民族国家としてではなく、地域的な区分としての共和国になりました。セルビアはキリスト教のセルビア正教であり、クロアチアやスロベニアはカトリックであるのに対して、ボスニア・ヘルツェゴビナには、民族としてはセルビア人やクロアチア人であっても、信じる宗教がイスラム教という人たちが多く、この人たちは「ムスリム」（イスラム教徒）という民族名で呼ばれるようになりました。

†東西冷戦の終わり、ユーゴの分裂

ユーゴスラビアは、共産主義者同盟という政党による一党独裁が続いてきましたが、チトーが亡くなり、東欧諸国での民主化が進むと、１９９０年に一党独裁を放棄。複数政党による自由選挙が実施されました。

その結果、各共和国には、民族主義の色彩の強い政党が伸張し、独立を目指すようになります。1991年にスロベニアとクロアチアが相次いでユーゴスラビアからの独立を宣言します。これをユーゴ政府軍（セルビア人主体）が阻止しようとして内戦状態になりますが、その後、両国は独立を果たしました。

この動きに刺激され、ボスニア・ヘルツェゴビナの中でも、各民族間の緊張が始まります。このうちセルビア人たちは、セルビア共和国（セルビア本国。セルビア共和国とは別）と共にユーゴスラビアに留まることを望みましたが、クロアチア人やムスリムは、ユーゴからの独立を求め、対立が激しくなります。

†ボスニア・ヘルツェゴビナ内戦に

1992年3月、ムスリムが主体のボスニア政府は独立を宣言しました。これに対して、セルビア人たちは、「セルビア人共和国（スルプスカ共和国）」としてボスニア・ヘルツェゴビナからの分離を宣言します。同じセルビア人からなるユーゴスラビア連邦軍の装備がセルビア人共和国に渡り、ムスリムと戦闘に入ります。

また、ムスリム支配を嫌うクロアチア人たちも独自の共同体を組織して、ムスリムやセルビア人たちと対立します。結局、ムスリム主体のボスニア・ヘルツェゴビナ政府とセルビア人、クロアチア人の3勢力による内戦となり、自分たちの地域から異民族を追放したり、虐殺《ぎゃくさつ》したりという「民族浄化《じょうか》」が繰り広げられました。

このうちサラエボは、セルビア人民兵によって包囲され、無差別の銃撃によって、市民に多数の犠牲者を出しました。主要幹線の近くのビルにセルビア人の狙撃兵（スナイパー）が陣取り、道路を歩く人を狙撃。多くの市民が殺害され、この通りは「スナイパー通り」と呼ばれました。

犠牲者を埋葬する土地がなく、公園や五輪会場が墓地になったことは、前に述べた通りです。サッカー日本代表の元監督のイビチャ・オシム氏の家族も、サラエボ市内に長期間閉じ込められました。

†内戦終結へ

対立していた勢力のうち、ボスニア・ヘルツェゴビナ政府とクロアチア人勢力は、アメリカの仲介で1994年に停戦します。

すると、この2勢力はセルビア人勢力への攻勢を強めます。

これに対して、セルビア共和国がセルビア人勢力を支援します。この支援でセルビア人勢力が強大な軍事力を維持したため、アメリカを中心とするNATO（北大西洋条約機構）がセルビア本国に対してセルビア人支援から手を引くように警告。セルビア本国を空爆しました。

この攻撃を受けて、セルビアも姿勢を変え、セルビア人勢力支援を断念。1995年、ボスニア・ヘルツェゴビナ内のセルビア人勢力も和平協定に調印し、悲惨な内戦は終わりを告げました。

この結果、最初に書いたように、ボスニア・ヘルツェゴビナは、ムスリムとクロアチア人主体のボスニア・ヘルツェゴビナ連邦と、セルビア人主体のセルビア人共和国（スルプスカ共和国）という2つの国家からなる連邦国家になりました。ただし、「セルビア人共和国」と表現すると、セルビア本国との違いが不明瞭になるため、いまはセルビア語の発音通りの「スルプスカ共和国」と表記するのが一般的です。

国家体制は、セルビア人、クロアチア人、ムスリムの3つの民族からひとりずつ選ばれた大統領評議会が設置され、3人が8か月ごとに輪番《りんばん》制で議長に就任します。この議長が事実上の国家元首です。

†通貨はマルクと連動

ボスニア・ヘルツェゴビナの通貨は、マルカと呼ばれますが、正式には兌換マルクです。1998年、ボスニア・ヘルツェゴビナに新しい通貨を導入する際、ヨーロッパで一番信用の高いドイツのマルクと連動するようにしたからです。交換レートは1対1でした。

その後、ドイツはユーロに加盟して、マルクはユーロになってしまいましたが、当時のマルクと等価なので、現在はユーロと固定されたレートで、1兌換マルク＝0・51129ユーロです。

ひとつの国の中で2種類の通貨が通用するという不思議な仕組みは、停戦したとはいえ、両勢力の対立が根強いことを物語っています。

第7章 難民キャンプで通用する紙幣は？——シリア／ヨルダン

難民キャンプでは、どこの国の通貨が使用されるのでしょうか。これが、この章のテーマです。ヨルダンのシリア難民キャンプで、その実態を見てきました。

†巨大化する難民キャンプ

内戦が続く中東の国シリア。2013年8月末までに約200万人が難民となって国外に脱出しました。戦乱を避けてシリア国内で避難している国内避難民も、約400万人いると見られています。2240万人の国民のうち実に4分の1以上の国民が逃げ惑《まど》っているのです。

このうち南の隣国ヨルダンには約50万人の難民が流れ込んでいます。お金のある人は、首都アンマンでアパートを借りて住んでいますし、知人や親戚の家に間借りしている家族もいます。問題はお金のない人たちです。ヨルダン政府が設置した難民キャンプに入るしかありません。

アンマンから車で1時間。シリア国境に近い砂漠地帯に、ザータリ難民キャンプが設置されました。ここを、私は2012年11月と2013年9月に取材に訪れました。

ザータリ難民キャンプの様子

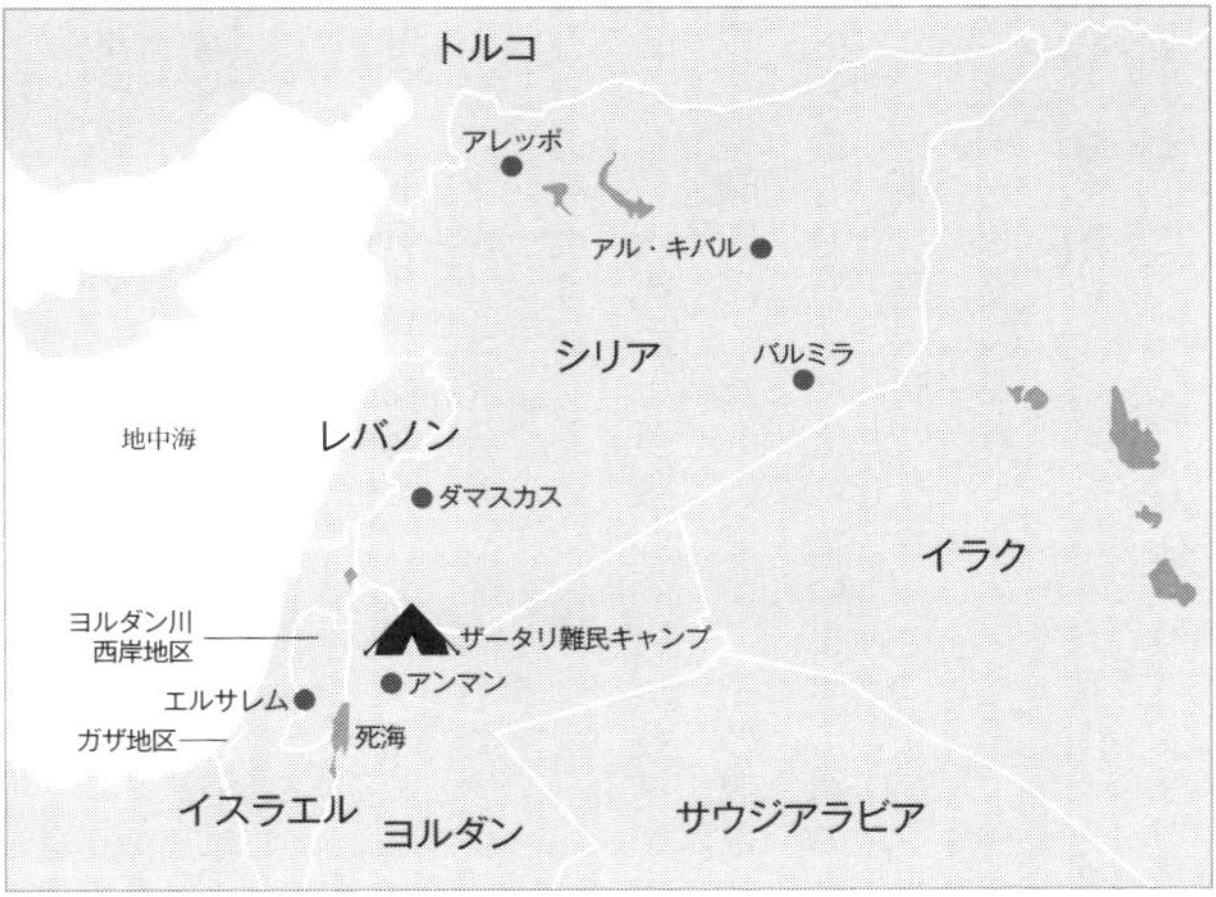

ヨルダンのザータリ難民キャンプ

2012年の段階では、3万2000人が収容されたテントが並ぶだけの急ごしらえのものでしたが、2013年に再訪して仰天。人口12万人の巨大な都市に〝成長〟していたからです。人口12万人は、ヨルダン国内で5番目に大きな都市。日本では、三重県伊勢《いせ》市や福島県会津若松《あいづわかまつ》市並みの規模です。

テントでは家として長持ちせず、コンテナを使用した仮設住宅が建ち並んでいました。私たちは「キャンプ」という語感から、テントが並ぶ光景を思いがちですが、実態は異なるのですね。仮設住宅の数は2万5000軒です。

キャンプの中心部を通る道路は簡易舗装され、両側には多数の商店が並びます。いずれも難民たちが、自分たちの仮設住宅を並べて商店にしたものです。その数ざっと3000店。さらに飲食店もオープンし、こちらも600店に上っています。鶏《にわとり》の丸焼きを提供する店があったり、カフェがあったり。見事な商店街になり、いつしか「シャンゼリゼ通り」と呼ばれるようになりました。なんとも皮肉なネーミングです。

この通りと交差する道路も、両側に商店が建ち始め、こちらは「五番街」と名付けられました。思わず「マリー」を探したくなりました（このギャグは一部の人しかわからないでしょうね。高橋真梨子の歌う「五番街のマリーへ」です)。

これだけ商店ができますと、さて、買い物では、どこの国の通貨が使われているのでしょうか。

†「アラブの春」から騒乱に

2010年末、チュニジアから始まった民主化運動「アラブの春」は、シリアにも飛び火しました。

1970年に政権の座についたハーフィズ・アサド大統領(現大統領の父親)は、29年にわたって独裁政治を敷いてきました。大統領とその一族は、イスラム教のアラウィ派。イスラム教は大別してスンニ派とシーア派がありますが、アラウィ派は、シーア派の分派とされています。

シリア国民はスンニ派が多数を占めているため、少数派が力で多数派を抑え込む形でした。反対者は容赦なく弾圧・殺害されてきました。

1982年には、国内で反政府暴動が発生しましたが、アサド大統領は、ハマの町に

ハーフィズ・アサド

1930-2000年。シリアの軍人・政治家。リビアのホムスの陸軍士官学校卒業後、ソ連で軍事訓練を受ける。1969-1970年の権力闘争でシリアの実権を掌握し、大統領に就任。1999年に5選を果たす。

アサド前大統領の顔が入った1000シリア・ポンド

両替商が替えてくれた紙幣
（上左より50、100シリア・ポンド、下左より200、500シリア・ポンド）

立てこもったイスラム原理主義者を攻撃。一般市民も含め数万人を虐殺。町そのものをブルドーザーで平《たい》らにしてしまったのです。

この独裁者アサド大統領は、1000シリア・ポンドの肖像画になっています。アサド大統領が2000年に死去すると、イギリスで眼科医をしていた息子のバッシャール・アサドが後継指名されました。それまで大統領となれる年齢は40歳からと憲法で規定されていましたが、彼の年齢である34歳から就任できるように憲法が改正されたのです。

当初は改革派として期待されましたが、アラブの春が起きると、一転して弾圧に回りました。

シリアでの反政府運動は、当初は独裁政治に反対する民主化運動でしたが、次第に、スンニ派対アラウィ派（シーア派）の対立の様相を深めます。スンニ派国家であるサウジアラビアやカタールが、反政府勢力を支援。資金や武器を与えます。

こうなると、同じシーア派であるイランの政権が、アサド政権を支援。さらに、シリアの西隣のレバノンを拠点にするシーア派過激組織ヒズボラ（「神の党」）も、アサド政権支援に駆けつけます。結局、スンニ派とシーア派の代理戦争のような状態になってしまったのです。

†シリアとヨルダンの通貨が使用可

さて、難民キャンプで使える通貨は何か、という問題でした。

シリア難民ですから、当然のことながらシリア・ポンドを持ってきています。でも、難民キャンプがあるのはヨルダン。支払いは原則としてヨルダン・ディナールということになります。

そうなれば、両替《りょうがえ》の需要が生まれますね。両替商が誕生していたのです。

シャンゼリゼ通りで、私が「アメリカドルをシリア・ポンドに両替したいんだけど」と、商店街の男性に声をかけると、どこからともなく両替商が現れ、ドルをシリア・ポンドに替えてくれました。それが、ご覧いただいた紙幣です。

ところが、1000ポンド紙幣だけはありませんでした。アサド前大統領の肖像画が描かれているため、誰も使いたがらないからのようです。これは、第3章のリビアで、

難民キャンプで使われているヨルダン・ディナール
（上より 1、5、10 ヨルダン・ディナール）

紙幣にカダフィ大佐の肖像画が描かれているため、リビアの人々が肖像画を塗りつぶして使っているとお伝えしましたが、同じ構造ですね。

1000ポンドが入手できなかったため、この部分は、別の資料写真を掲載します。

†こうして銀行が生まれるのか

シリア難民たちが、両替商のおかげでヨルダン・ディナールが使えるようになれば、難民キャンプ内での経済活動も活発化します。お金が回り、人々が自立できるようになるのです。

キャンプの運営を任されているUNHCR（国連難民高等弁務官事務所）も、商売は黙認です。ただ援助を待っているだけの難民では、依存心が生まれて、自立できなくなります。たとえ難民キャンプにいても、自分たちの生活費は自分たちで稼ぐ。そうなってくれれば、難民の自立につながる、というわけです。

飲食店の中には、客入りがいい店も散見されます。きっと儲かっているのでしょう。ヨルダンでの事業で利益を上げれば、中には「故郷に送金したい」という人も出てくることでしょう。必要は発明の母。両替商たちは、シリア国内への送金ルートも開拓しました。こうなると、〝銀行〟の誕生です。なるほど、このようにして金融経済は生まれるのだな、と感心しました。題して「難民キャンプの経済学」です。

†「ホーム・スウィートホーム」

難民の暮らしがテント生活から仮設住宅に移ると、何が起きるのか。「マイホーム意識」の誕生です。

テント生活をしていた2012年11月の段階では、難民たちはゴミをテントの周りにポイポイと捨てていました。所詮は仮住まいだという意識からでしょうね。

ところが、しっかりとした造りの仮設住宅に入ると、「ここが自分たちの長期生活の拠点」という意識が芽生えます。すると、自分の住宅の周りにゴミを捨てなくなり、花壇を作ったり、手製の噴水を設置したりするようになったのです。

「これぞホーム・スウィートホーム（楽しき我が家）です」とUNHCRの現地責任者は説明してくれました。難民キャンプの運営には、人間心理の洞察力が大事なのですね。

仮設住宅はコンテナですから、移動も容易です。いったん与えられた場所から仮設住宅を引っ越す人たちもいるのです。手製のコロを住宅の下に入れ、ゴロゴロと住宅を動かしていきます。引っ越し業者まで生まれたのですね。

シリアに住んでいた頃のご近所さんや親戚の住宅の横に引っ越すというわけです。こうなれば、異郷の地でもコミュニティが再生します。

†化学兵器は廃棄されるが

シリア内戦では、2013年8月、化学兵器のサリンが使用され、多数の死者が出ました。アメリカのオバマ大統領は、「アサド政権が使用した」として、懲罰《ちょうばつ》のためにシリア空爆に踏み切ろうとしました。

これに対して、アサド政権の後見人であるロシアのプーチン大統領は、「化学兵器は反政府勢力が使った」として、空爆に反対。国連の調査団が現地調査して、サリンが使用されたことは確認しましたが、〝犯人〟は不明ということになっています。

結局、ロシアがシリアに対して、化学兵器を全廃するように提案。アサド政権は、これを受け入れました。

しかし、その後も化学兵器が散発的に使われています。シリアの内戦は続いているのです。ということは、今後も難民が増え続けます。

いくら難民キャンプでの商売がうまくいっても、難民たちは、できれば祖国で商売したいはずです。さて、その日はいつ訪れるのでしょうか。

第8章 偽造に悩むアメリカドル——アメリカ

アメリカの100ドル紙幣が新しくなりました。さまざまな偽造防止の工夫が施されています。アメリカドルは世界で通用するお金。それだけに偽造も多いからです。

†世界で使われるドル紙幣

2013年10月、イランの首都テヘランの中心部にあるバザールの一角で、多数の男たちが集まって、何か取引をしているのを発見しました。何だろうと思って近づくと、イランの紙幣であるリアルとアメリカドルの売買現場ではありませんか。もちろん不法な取引ですが、参加者は臆するところがありません。堂々たる取引です。

私が近づいて、「不法取引だから、取り締まられることはないのか」と尋ねると（イラン人コーディネーターに通訳してもらってですが）、「もちろん不法だが取り締まりはないよ」とのこと。

そんな会話をしているうちに、「こんにちは」「日本にいたことがあるよ」などと、片言の日本語を話す男たちが次々に現れました。いまから約20年前、日本がイランと観光ビザを免除する協定を結んだところ、大勢のイラン人が「観光」で来日し、そのまま不法滞在して就労したことがありました。そのときに日本で働いていた人たちだったのです。当時、よほどいい思いをしたらしく、みんな楽しそうに話しかけてきます。実に親日なのです。

それはともかく、長年にわたる経済制裁の結果、イランにはさまざまな物資が入らなくなり、激しいインフレに見舞われています。イランの通貨リアルも価値が下がるばかり。そこで、アメリカドルに替えて資産を守ろうとする人たちが多く、ドルの需要は増大。その需要に応えようとする両替商同士の闇《やみ》の売買現場だったのです。

反米国家として知られ、アメリカによる厳しい経済制裁を受けている国でも、アメリカドルの人気は高いのです。うっかり不法な取引を取り締まったりしたら、庶民の不満を買うでしょうし、こうした取引が、経済の潤滑油《じゅんかつゆ》になっていることを、当局も知っているからこそ、黙認しているのでしょう。

そんなドル人気を痛感したことは、同年9月にもありました。ヨルダンにあるシリア難民キャンプを取材していたときのことです。取材をしていると、両替商がやってきて、「相談がある」というのです。何か。「受け取ったドル紙幣が本物かどうか鑑定してほしい」とのことでした。

私にそんな能力はありませんから、丁重にお断りしましたが、外国人だから判別できるかも知れないと思ったのでしょう。難民キャンプでも、アメリカのドル紙幣が活躍しているのです。

ドルは世界のお金。それを再認識しました。

そして、アメリカから遠く離れた場所でドルを使う人たちの不安が、偽札を摑《つか》まされているのではないかということであることも。世界中にドルの偽札が出回っているからです。

新100ドル紙幣の工夫とは

2013年10月8日、アメリカで新しい100ドル紙幣がお目見えしました。偽造防止対策がたっぷり詰め込まれています。

当初は2011年2月に発行される予定だったのですが、偽造対策が複雑だったため、印刷機にかけると紙にシワが出てしまい、対策に時間がかかり、発行が遅れました。

新しくなった 100 ドル。様々な偽造防止の工夫が施されている

ベンジャミン・フランクリン

1706-1790 年。アメリカの政治家・科学者。出版印刷業者として成功し、避雷針の発明や文化事業への貢献などで知られる。アメリカ独立宣言起草委員を務め、憲法制定会議にも出席した。

旧 100 ドル

これまで流通していた紙幣は1996年に発行されたものですが、もちろん今後も使用可能です。

アメリカでは、偽造対策のため、ここ10年で順次、新紙幣に切り替えています。2003年の新20ドル紙幣の導入から始まり、50ドル紙幣、10ドル紙幣、5ドル紙幣が新しくなっています。

100ドル紙幣の肖像画は、アメリカ建国の父のひとりであるベンジャミン・フランクリンであることに変わりはありませんが、背景のデザインは変更され、「独立宣言」の署名に使われた羽ペンが描かれています。

また、中央に3次元に見える青いリボンが織り込まれました。紙幣を横に動かすと、リボンに数字の「100」と「自由の鐘《かね》」が交互に出現します。

紙幣の表に「アメリカ独立宣言」の一部が印刷され、その上に赤銅色のインク壺《つぼ》が描かれています。紙幣を傾けると、このインク壺の中に、緑色の自由の鐘が現れるという仕掛けです。

さらに、紙幣に光を当てると、肖像画の左に偽造防止糸が垂直に入っているのが見えます。偽造防止糸に沿って「USA」の文字と数字の「100」が交互に記され、偽造防止糸は紫外線に当てるとピンクに光ります。

このほか、「マイクロプリント」の技術も使われています。これは、日本の紙幣にも使われています。微細な文字が印刷されていて、コピー機にかけると、その文字が再現できないのです。コピー機で偽札づくりができないようにする工夫のひとつです。

アメリカの紙幣は、首都ワシントンとテキサス州フォートワースの2か所の製版印刷局で印刷されています。フォートワースで印刷される新100ドル紙幣は、表の左上隅の100の数字の右に、小さくFWと印刷されています。FWのマークがない場合は、ワシントンで印刷されていることになります。

アメリカの紙幣は、発行されたときの財務長官のサイン入りですが、この紙幣のサインは、現在のルー財務長官ではなく、ガイトナー前財務長官のものです。前長官時代に印刷版が製造されていたものの、発行が遅れたからです。

100ドル紙幣は、1ドル紙幣に次いで流通量が多く、2012年末のFRB（詳しくは後述）の統計によれば、1ドル紙幣の流通量は103億枚、100ドル紙幣は86億枚でした。100ドル紙幣のうち、実に約3分の2がアメリカの国外で保有されています。100ドルなら偽造のコストがかかっても利益幅が大きいので、偽造が絶えず、国外でも大量に流通していると言われています。

この新紙幣が世界でも流通するようになると、シリア難民も偽札に心配しないで済むようになるのでしょうか。

†アメリカドルは「世界のお金」

イランでもシリア難民キャンプでも使われていたように、アメリカのドルは「世界のお金」です。

アメリカのドルを「世界のお金」にしようということが決まったのは、1944年7月のこと。アメリカ・ニューハンプシャー州ブレトンウッズのリゾートホテルに世界45か国の代表が集まって討議した結果、決まりました。これを、会議場所の名前をとって「ブレトンウッズ体制」と呼びます。

これが決まったときは、日本はまだアメリカと戦争中。アメリカは、すでに日本との戦争が終わった後の経済の世界秩序を形成しつつあったのです。

「世界のお金」とは、国際貿易で決済に使われる通貨のこと。第二次世界大戦前まではイギリスのポンドが「世界のお金」でした。

しかし、戦争でイギリスの国力は衰《おとろ》え、先進国で唯一戦場にならなかったアメリカに世界の富が集中したことで、アメリカがイギリスに取って代わったのです。

ブレトンウッズ体制は、いってみれば、世界的規模での金本位制度でした。世界の通貨は、アメリカのドルと一定のレートで固定されました。たとえば、戦後は日本もこの体制に加わり、日本の円は、1ドル＝360円と固定されました。これが固定相場制です。世界各国は、持っているアメリカのドルを、アメリカ政府に要求すれば、35ドルで金《きん》1オンスと交換してもらえました。金《きん》の裏付けがあるので、ドルは世界のお金になれたのです。

ところが、これをいいことに、アメリカは浪費を続けます。戦後ヨーロッパの復興を支援したほか、ベトナム戦争で多額の戦費を使い、世界にドルが氾濫《はんらん》。世界中にあふれたドルと交換できるだけの金《きん》が国内に存在しなくなってしまったのです。

このため、1971年、当時のアメリカのニクソン大統領は、ドルと金《きん》との交換を停止します。これは世界に大きな衝撃を与え、「ニクソン・ショック」と呼ばれました。世界各国は、いくらドルを持っていても、金《きん》と交換してもらえなくなったのです。

しかし、ドルに代わる国際通貨は生まれず、その後もドルが世界のお金として通用します。ただし、世界の通貨とドルは交換レートを固定することができず、変動相場制に移行しました。それ以来、円高・円安という言葉が生まれ、経済関係者は為替レートの変動に一喜一憂するようになったのです。

†自国通貨をドルにしたところも

アメリカのドルは「世界のお金」である以上、世界で最も信頼されている通貨です。これを利用して、自国の通貨をアメリカのドルにしてしまう国がいくつか出ています。最も有名なのは、アフリカのジンバブエです。

ジンバブエは、独裁者ムガベ大統領の失政により、猛烈なインフレに見舞われました。2008年には1000億ジンバブエドル札が発行されたほどです。2年間のインフレ

インフレで作られたアフリカの1000億ジンバブエドル

1821年	イギリス金本位制を採用。世界の基軸通貨は英ポンド。
1879年	アメリカ、金本位制に移行。
1917年	第一次世界大戦にアメリカ参戦。金兌換、金輸出を禁止。
1919年	アメリカ、金本位制に復帰。
1929年	ニューヨーク株式市場の暴落に端を発し、世界恐慌が起こる。金本位制の終焉。
1944年	ブレトンウッズ協定締結。金本位制にもとづく調整可能な固定為替相場制が採用。
1946年	同協定にもとづいて「国際通貨基金（IMF）」が創設。
1971年	ニクソン・ショック。アメリカは金兌換を一方的に停止し、ブレトンウッズ体制は崩壊。同年12月、スミソニアン協定。これを受け、変動為替相場制に移行。
1978年	IMF協定が改定。加盟国には為替安定が義務づけられる。
1985年	プラザ合意。変動為替相場制に移行後、初めて先進国首脳が本格的に世界経済について協議し、協調介入。

世界経済を動かすドルの歴史

『［図解］池上彰の経済のニュースが面白いほどわかる本』（中経出版）をもとに作成

率は2億3000万%。2009年には1アメリカドル＝250億ジンバブエドルという異常な事態になりました。

困り切ったジンバブエ政府は、2009年1月、自国の通貨に代えて、アメリカのドルと隣国・南アフリカ共和国の通貨ランドを国内で流通させることを認め、公務員の給料をアメリカドルで支払うことにしました。これで、猛烈なインフレ（ハイパーインフレ）を、あっという間に終息させたのです。

ただし、ジンバブエ国内でアメリカドルは印刷・発行されていませんから、国内で流通しているアメリカドルは、擦り切れてボロボロの状態です。

†アメリカドルの発券銀行は12もある

アメリカの中央銀行はFRBです。FRBの正式名称は、「連邦準備制度理事会」。どうもわかりにくい名前ですね。実はアメリカには中央銀行である連邦準備銀行が12もあり、これらを統括しているのがFRBなのです。

中央銀行といえば、日本は日本銀行だけ。ひとつの国にひとつの中央銀行というのが常識ですが、アメリカは12行もあります。

アメリカ国民は中央集権を嫌います。各州が集まって連邦国家を形成したものの、中央銀行がひとつだけでは金融権力が集中しすぎると考え、全米に12の連邦準備銀行を設立。各行が複数の州を担当することにしたのです。

ところが、1929年のニューヨーク株式市場での暴落を契機に不況が深刻化した際、それぞれの連邦準備銀行の対策はバラバラで、有効な手が打てませんでした。この教訓から、各連邦準備銀行を統括する連邦準備制度理事会の制度ができました。結局、強大な中央銀行が生まれたのです。

日本銀行が日本の紙幣を発行しているように、12の連邦準備銀行は、それぞれ紙幣を発行しています。

紙幣をどれだけ発券するかの発券管理はFRBの仕事ですが、紙幣はアメリカ国内に12行ある連邦準備銀行が個々に発行しています。

紙幣が、どの連邦準備銀行で発行されたものかは、紙幣に印刷されているアルファベットで識別できます。もちろんアルファベット以外は、すべて同じデザインです。

たとえば1ドル紙幣は、肖像の左側にアルファベットが記載されています。日本で両替する紙幣はBです。ニューヨーク連邦準備銀行（連銀）が発行したお札です。それ以外は、以下のようになっています。ですから、たとえばニューヨークでLが印刷された紙幣を受け取ると、「西海岸からはるばる旅して来たのだなあ」とわかるのです。

A　マサチューセッツ州／ボストン連銀
B　ニューヨーク州／ニューヨーク連銀
C　ペンシルベニア州／フィラデルフィア連銀
D　オハイオ州／クリーブランド連銀
E　バージニア州／リッチモンド連銀
F　ジョージア州／アトランタ連銀
G　イリノイ州／シカゴ連銀
H　ミズーリ州／セントルイス連銀
I　ミネソタ州／ミネアポリス連銀

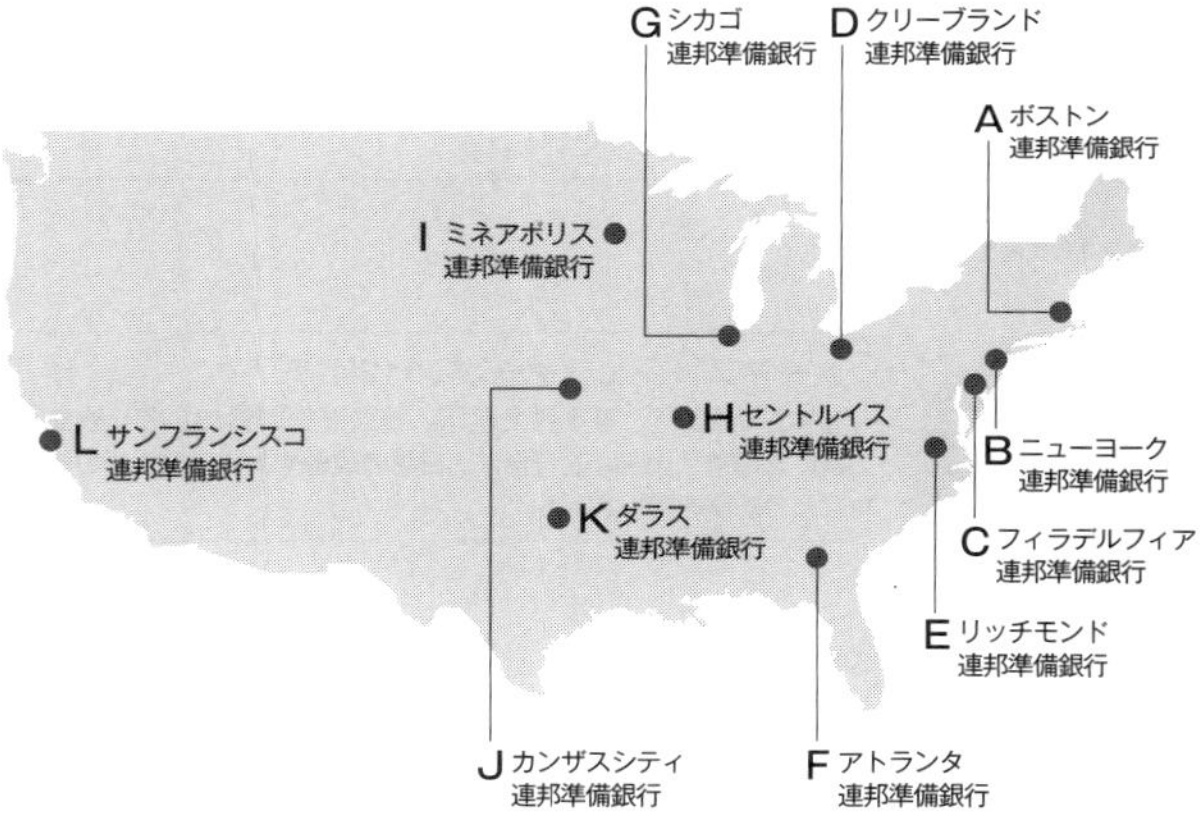

連邦準備銀行のあるアメリカの州

J　ミズーリ州／カンザスシティ連銀
K　テキサス州／ダラス連銀
L　カリフォルニア州／サンフランシスコ連銀

ちなみに、アメリカの紙幣の肖像画に描かれているのは、次の人物です。

1ドル紙幣はジョージ・ワシントン
2ドルはトーマス・ジェファーソン
5ドルはエイブラハム・リンカーン
10ドルはアレキサンダー・ハミルトン
20ドルはアンドリュー・ジャクソン

ジョージ・ワシントン（1ドル）
1732-1799年。初代大統領。1775-1783年まで独立革命軍総司令官を務める。大統領就任後は連邦政府の確立に努力し、アメリカの「建国の父」といわれる。

トーマス・ジェファーソン（2ドル）
1743-1826年。第3代大統領。独立運動に参加して「独立宣言」を起草。大統領就任後は、貿易の改善やルイジアナ州の購入などの功績を残している。

エイブラハム・リンカーン（5ドル）
1809-1865年。第16代大統領。南北戦争を指揮して勝利を収め、1863年に奴隷解放宣言を行う。「人民の、人民による、人民のための政治」という言葉で有名。

アレキサンダー・ハミルトン（10ドル）
1757-1804年。政治家。ワシントン総司令官の参謀として独立革命に参加後、新連邦憲法批准のため尽力。1789年より財務長官として新国家の財政基盤を整備した。

アンドリュー・ジャクソン（20ドル）
1767-1845年。第7代大統領。1812年戦争中に先住民を破り、イギリス軍を退けて英雄となる。大統領就任後は選挙権の拡大などの民主主義政策を推進した。

アメリカドルの肖像画

これを見て、2ドル紙幣があることに驚く人もいることでしょう。あるのですよ。でも、おそらく見た人はいないでしょう。

というのも、かつては2ドル紙幣が流通していたのですが、選挙の際の買収に使われたことから、2ドル紙幣を支払いに使うと、「選挙の買収で手に入れたのではないか」と見られるようになってしまい、誰も使わなくなったからです。

そういえば、日本でも2000円札は出回っていませんね。こちらは選挙違反とは何の関係もありません。2000円札対応の自動販売機があまりなかったことや、日本人は支払いに奇数の数字を好むことから、使う人があまりいなかったからです。

ただし、沖縄県では、しばしば見かけます。2000円札は2000年に沖縄で開かれたサミットにちなんで発行され、沖縄の守礼《しゅれい》の門が描かれていることから、沖縄では2000円札を積極的に使おうという運動があるからです。

アメリカドルに話を戻すと、世界の人々を安心させるために偽造防止策に力を入れるアメリカ。アメリカドルを「世界のお金」として維持するには、それなりの費用がかかるようです。

第9章

日本の援助が紙幣の図柄に——日本のODA

このところ世界の中での存在感が薄れているという日本。ところがどっこい、世界各国の紙幣のデザインに、日本が存在しています。日本の政府開発援助（ODA）で建設された橋や道路が、紙幣に描かれているのです。

†バングラデシュで爆弾の洗礼

2013年の11月から12月にかけて、南アジアのバングラデシュに取材に行きました。「アジア最貧国」と称され、貧しい国のイメージがある国ですが、最近は年率6％を超える経済成長を遂げています。

現在、繊維《せんい》産業の輸出量では中国に次いで世界2位にまでなりました。日本の企業も多数進出しています。

ただ、政治は与野党の対立が激しく、私が訪れたときは、翌年の総選挙を前に、野党が国会をボイコット。野党が呼びかけたゼネスト（さまざまな産業の労働者が一斉にストライキに入ること）で、交通機関がマヒし、反政府勢力と警察との衝突で、連日犠牲者が出ていました。

総選挙の立候補届け出の締め切り日に選挙管理委員会の近くで取材していたら、突然の爆発音と白煙《はくえん》に包まれました。反政府勢力が手製の小型爆弾（地元ではカクテル爆弾と称される）を道路に投げつけたのです。けが人はありませんでしたが、周囲の人たちは一斉に逃げ出し、警備していた警察官は、手にした小銃の安全装置をはずして現場に駆けつけるなど、一時騒然としました。

†100タカ紙幣に日本の援助の橋

混乱が続くバングラデシュですが、騒動が起きるのは、5年ごとの総選挙の時期だけのことが多く、ふだんは穏やかな国柄です。

ここはまた、大の親日国家であることで知られています。バングラデシュは、かつては東パキスタンでした。1947年、イギリス領インドが独立する際、イスラム教徒が多く住む東西の領域が、ひとつのパキスタンとして独立したのです。

国家としてはひとつでしたが、間にインドを挟んで遠く離れていること、東パキスタンはベンガル人が主体で、西パキスタンとは民族や言語が異なることから、1971年

3月に独立を宣言。これを認めなかった西パキスタンと戦争になりました。結局、インドの支援を受けた東パキスタンが勝利し、12月に正式に独立を宣言。「ベンガル人の国」＝バングラデシュになりました。

翌年、日本は、世界の先進国の中でいち早くバングラデシュを国家として承認。これにバングラデシュの人たちは感激しました。9年生（日本の中学3年生に該当）の社会科の教科書には、このことが載っているほどです。

バングラデシュに対する日本の政府開発援助（ODA）は、国交樹立の翌年の1973年から始まりました。

援助の重点は、インフラ整備や農業開発、発電所建設、医療保健などの分野です。

バングラデシュは、パドマ川、ジャムナ川、メグナ川という3つの大河をはじめ大小の河川によって国土を分断されています。「川の中に国家がある」と称されるほどです。国家をひとつにまとめるには、橋を架けることです。主要河川にかかる主な橋は、すべて日本の援助によって建設されました。

とりわけバングラデシュを東西に結ぶジャムナ橋（総延長4・8キロメートル）は、円

日本の援助で建設されたジャムナ橋（バングラデシュ 100 タカ）

バングラデシュのジャムナ橋

借款《しゃっかん》（総額215億6200万円）により1998年に完成しました。川を渡るのに、かつてはフェリーで1時間かかっていましたが、橋のおかげで、いまは4分しかかかりません。

バングラデシュ国民の悲願であったこの橋は、2番目に高額の100タカ紙幣のデザインに採り入れられています。100タカは、2013年12月時点、約120円です。このお札を見るたびに、日本への感謝を紙幣のデザインとして表わしてくれたバングラデシュの人たちの親日感情を感じて、嬉しくなります。

†カンボジアでは2枚の紙幣に日本の橋が

日本の援助は、カンボジアの紙幣にも登場します。2001年から発行が始まった500リエル（約10円）札には、カンボジアの幹線道路である国道7号線にかかる橋（きずな橋）が描かれています。この橋は、日本の無償援助で改修されました。

この橋は、メコン川本流をまたぐカンボジア唯一の架橋。長さは1360メートルで、2001年に完成しました。日本とカンボジアの友好の象徴として「きずな橋」と名付

日本の無償援助で改修されたきずな橋（カンボジアの 500 リエル）

破壊された後に再び改修された日本橋（カンボジアの旧 1000 リエル）

ラオスとタイ・カンボジアを結ぶパクセー橋（ラオスの 1 万キープ）

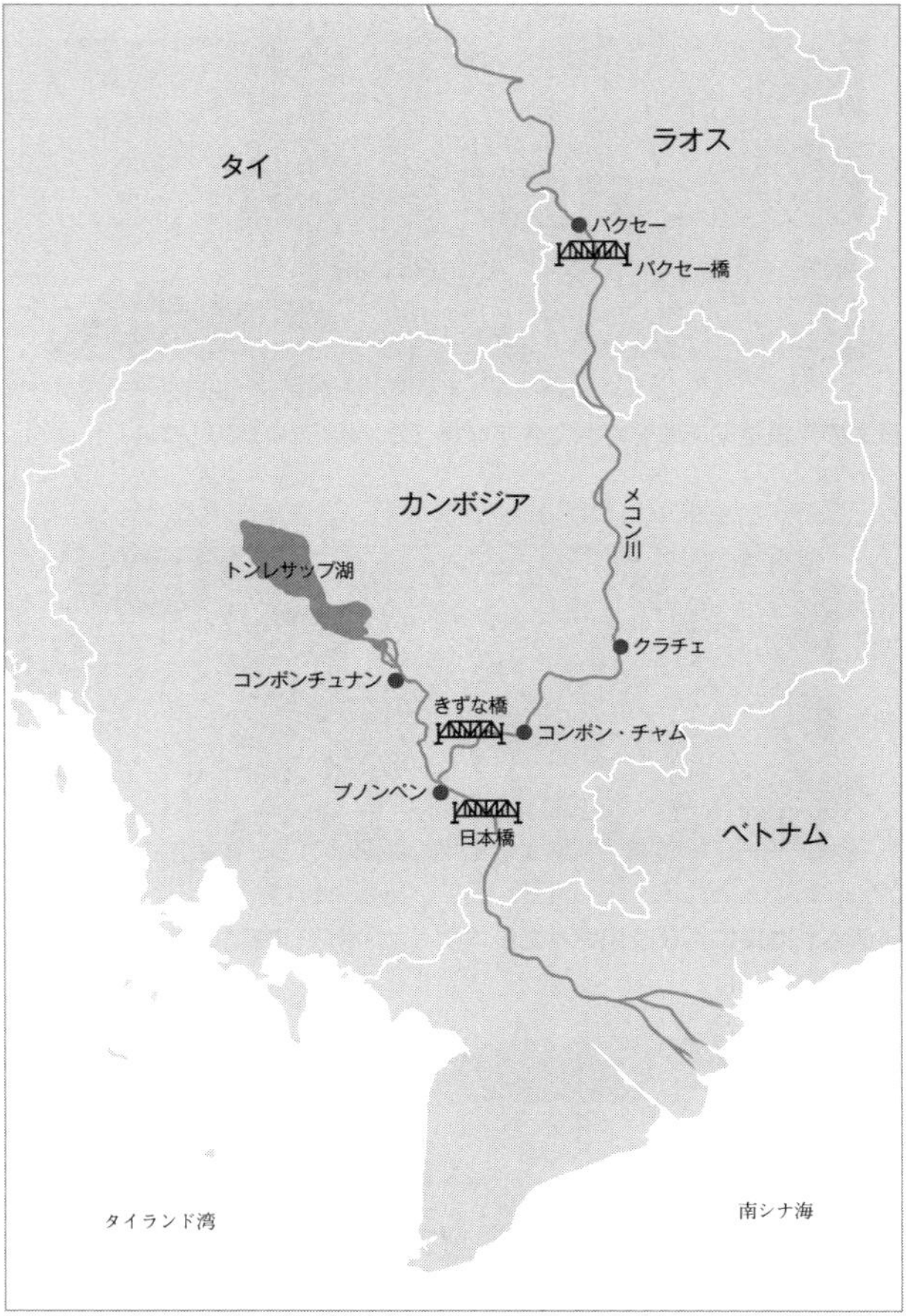

カンボジアのきずな橋とパクセー橋

けられました。

国道7号線は、首都プノンペンと地方の主要都市コンポン・チャムを結ぶ重要な道路です。この橋が改修されるまでは、通行できずに迂回《うかい》を強いられ、両都市を結ぶのに5〜6時間もかかっていましたが、改修で通れるようになった結果、所用時間は2時間程度に短縮されました。

この図柄に決めたのは、カンボジアのフン・セン首相です。フン・セン首相の脳裏には、この橋の改修プロジェクトのコンサルタント業務に携わっていたJICA（国際協力機構）の岡島隆正氏のことがあったと言われています。岡島氏は、1997年、カンボジア内戦中、国内での二大勢力による武力衝突の際、砲弾に当たって亡くなりました。カンボジアのために命を落とした岡島氏に報いるためだったというのです。

また、紙幣のデザインが現在のものに変わる前には、1000リエル（約20円）紙幣にも橋の図柄がありました。こちらは、1966年に建設された日本橋《にっぽんばし》です。カンボジア内戦中の1973年に反政府ゲリラ（ポル・ポト派）によって破壊されましたが、カンボジア側の要請で改修工事に着手。工事中にポル・ポト派による破壊宣言に脅されながらも、工事を続行。1994年に完成させたのです。

ラオスでも紙幣に

2002年5月には、ラオスに建設されたパクセー橋（全長1380メートル）が1万キープ（約100円）の図柄に採り入れられました。

ラオス南部の中心都市パクセーは、タイやカンボジアを結ぶ要衝《ようしょう》にあり、メコン川に橋がかかったことは、パクセー周辺の経済発展に貢献しています。

日本の援助が、現地の人と日本の架け橋になっているのですね。

日本の援助の特徴は？

日本の援助は、政府開発援助（ODA）と呼ばれます。もともとは、第二次世界大戦後、戦後賠償として始まりました。戦争で迷惑をかけた国に対して、賠償することから始まり、やがて援助に発展しました。

日本の援助は、無償資金援助と有償資金援助（円借款）、それに技術協力の3本柱から成っています。

無償資金援助は、名前の通り、資金をプレゼントするもの。有償資金援助（円借款）とは、低い金利で資金を貸すもの。いずれ全額を返済してもらいます。

技術協力は、専門家を派遣し、さまざまな技術を伝達します。

日本の援助は、円借款つまり低利融資の比重が大きいのが特徴です。これは、かつて日本が援助してもらっていたときの経験から来たものです。

ただで援助をもらうのでは、人々は、無駄遣いをしがちなもの。いずれ利子をつけて返済しなければならないとなると、人は発奮するもの。融資された資金を返済しなければならないとなると、一生懸命になって努力し、その国の発展に役立つという考え方です。

こうして融資した資金の多くは、着実に返済されています。

その一方で、「日本は金がないのだから、海外に援助している場合ではないだろう」との否定的な反応もあります。

しかし、こうして日本への感謝が形になるということは、その国と日本とを結びつけることに成功していることを意味します。長い目で見れば、その国が大きく発展することで、日本の商品の市場になっていきます。いまのASEAN（東南アジア諸国連合）諸国が、その好例です。情けは人のためならず、なのです。

第10章

南アフリカとマンデラの死去

——南アフリカ

†マンデラ、死去

2013年12月5日、南アフリカのアパルトヘイト撤廃《てっぱい》闘争を戦い、ノーベル平和賞を受賞したネルソン・マンデラがヨハネスブルクの自宅で亡くなりました。95歳でした。

アパルトヘイトを撤廃させた後の初の民主的選挙で大統領に就任したマンデラを悼《いた》み、12月10日に政府主催の追悼式が開かれました。式には、アメリカからオバマ大統領やビル・クリントン元大統領、ジミー・カーター元大統領が出席。イギリスからはチャールズ皇太子とキャメロン首相が参列しました。

日本からは皇太子殿下と福田康夫元総理が出席。追悼式典のVIP席では、長らくアメリカと敵対関係にあるキューバのラウル・カストロ議長とオバマ大統領が握手を交わすという歴史的な弔問《ちようもん》外交もありました。

マンデラが、いかに世界から愛され、尊敬を集めていたかを示す光景でした。

ただ、追悼式典の公式手話通訳の黒人男性が、まったくのデタラメ通訳をしていたことが判明するという一幕がありました。この男性、通訳の能力がなく、過去に何度も凶

ネルソン・マンデラ
1918-2013 年。南アフリカ共和国黒人解放運動指導者・政治家。1990 年、27 年間の獄中生活から釈放され、翌年アフリカ民族会議（ANC）議長に就任。白人単独支配を終結させて 1994 年に大統領主任。1993 年にはノーベル平和賞受賞した。

マンデラの描かれた新 10 ランド

追悼式でスピーチするオバマ大統領

Ⓒ時事

悪事件の容疑者として逮捕されながらも、精神病を理由に罪を免《まぬが》れていたという人物でした。こういう人物が政府の公式通訳に潜り込むことができるというところに、マンデラ亡き後の南ア政府の統治能力に対する不安がよぎります。

†マンデラの肖像が紙幣に登場

マンデラは、2012年11月から発行が始まった南アの新紙幣に肖像画として登場を果たしていました。

南アフリカの通貨の単位はランド。紙幣は、10ランド、20ランド、50ランド、100ランド、200ランドの5種類があり、どの紙幣も、表にマンデラの肖像が入りました。

実は南アフリカの紙幣は、それまで人間の肖像画がなく、動物が描かれていることで知られていました。金額の低い順から高い順に、サイ、ゾウ、ライオン、バッファロー、ヒョウの5種類です。

これらは「ビッグ5（ファイブ）」と呼ばれています。白人が狩猟をしていた頃、この5種類の動物が、大きな獲物として人気があり、こう呼ばれたのです。その人気5動物

動物の描かれた旧紙幣（上10ランド、下左より20、50、100、200ランド）

が、紙幣の肖像画になっていました。

新紙幣の登場で、この5つの動物は、それまでの表から裏に移り、表はいずれもマンデラの肖像画となりました。

通貨ランドは、南アフリカ国内はもちろんのこと、隣国ジンバブエでも使用されています。ジンバブエはインフレが昂進し、自国のジンバブエドルの信用が失われたため、アメリカドルや南アのランドを自国の通貨代わりに流通させることで、インフレを抑え込んだのです。

ランドはさらに、独自の通貨を使用しているナミビアやスワジランドでも通用します。アフリカ南部での南アフリカ共和国の経済力の強さがわかります。

それにしても、これまでなぜ人間の肖像画でなく、動物が描かれていたのか。そこには、肖像画にふさわしい人物を選ぶことができなかったという南アフリカの負の歴史があったからです。それがアパルトヘイトであり、それと果敢に戦ったのが、マンデラでした。マンデラは、新生南アフリカを建設します。マンデラだけが、紙幣の肖像画になる資格があったのです。

†アパルトヘイトとは

アパルトヘイトとは、現地の言葉で分離や隔離を意味します。南アフリカでは、1948年に法律として確立しました。国民を白人、カラード（有色人種）、黒人の3種類に分け、カラードと黒人の権利を制限するものです。

カラードとは、インド系などのアジア系住民や、白人と黒人との混血の人たちのことです。

特に黒人は、居住区も制限され、都市部の白人居住区には、許可証を持った者だけが出入りを許されましたが、居住することは禁じられました。交通機関や公共施設は、すべて白人と非白人に分けられ、人種の違う男女の結婚も禁止されました。

国際社会は重大な人権侵害だとして、南アフリカに対して経済制裁を科しましたが、制度は1994年に撤廃されるまで続きました。日本と韓国、台湾は、国際社会の流れに従わずに南アフリカとの貿易を続けたため、名誉白人の地位を与えられ、白人施設を利用することが許されました。まことに不名誉なことでした。

†差別と戦ったマンデラ

ネルソン・マンデラは、1918年7月18日生まれ。南アの黒人はさまざまな民族に分かれています。マンデラはテンブ族で、コサ語が母語です。コサ語ではロリシュララ（トラブルメーカー）というとんでもない名前がつけられました。

生まれ育った地方の大学で学生運動を主導したため退学させられると、南アの中心都市ヨハネスブルクに出て、1943年、ウィットウォーターズランド大学に入学し、法学を学びます。当時の南アは、白人用の大学と非白人用の大学に分かれていましたが、この大学は、珍しく白人・非白人の双方に開かれていました。

成長の過程で数々の黒人差別を体験したマンデラは、差別撤廃運動に乗り出し、1944年には黒人解放組織のアフリカ民族会議（ANC）に加入します。

当時のANCは、穏健な方針を取っていましたが、マンデラは、仲間と共に組織内に青年同盟を創設し、1950年には青年同盟議長に就任。次第に過激な運動に入っていきます。

弁護士として、差別の犠牲になった黒人の被告の弁護をするかたわら、1961年には「ウムコント・ウェ・シズウェ（民族の槍《やり》）」という軍事組織を作り最初の司令官になります。

当初はインドのガンジーのような非暴力抵抗運動に魅力を感じていましたが、白人政府の弾圧に耐えかね、武力闘争に舵を切ったのです。

マンデラの死後、イスラエルの新聞「ハーレツ」は、マンデラが1962年、エチオピアでイスラエルの対外諜報機関モサドから軍事訓練を受けていたと報じました。

マンデラは、偽名を使ってモサドの訓練を受けましたが、その後、南アフリカで逮捕されたときの報道を見て、モサドはマンデラであることに気づいたということです。

マンデラを訓練したモサドの工作員は、マンデラについて、イスラエルやユダヤ人の問題について詳しい知識人で、共産主義に傾倒しているという印象を持ったと報告していました。

マンデラが、本気で武力闘争をしようとしていたことがわかります。

しかし、エチオピアから帰国後まもなく、マンデラは逮捕され、1964年、武装闘争の指揮を執ったとして、国家反逆罪で終身刑を言い渡され、ケープタウン沖合の監獄島「ロベン島」に収監されました。

ここでは石切り場で働かされるなど過酷な労働が待っていました。

マンデラが収監中、南アフリカのアパルトヘイトは世界の非難の的《まと》となり、政府は、マンデラの扱いに苦慮。過酷な監獄島から、ケープタウン郊外の、もう少し条件のいい刑務所に移監しますが、刑務所生活は合計で27年を超えました。

†アパルトヘイト撤廃へ

1989年、南アフリカの大統領にフレデリック・デクラークが就任すると、事態は大きく動きます。同年12月、デクラーク大統領はマンデラと会談に踏み切ったのです。次いで政治犯の釈放を決め、翌年2月11日、マンデラはついに釈放されました。

1990年、マンデラはANCの武装闘争放棄を決め、翌年にはANCの議長に就任しました。

マンデラは、デクラーク大統領と協力して、アパルトヘイトの撤廃に尽力。ついに1991年、アパルトヘイトを維持してきた法律をすべて撤廃することに成功します。

この功績で、1993年、マンデラはデクラークと共にノーベル平和賞を受賞しました。

この過程では、マンデラが武装闘争を放棄したことや、白人大統領と協力することへの批判を仲間たちから受けますが、断固として協力関係を維持。ついに異なる人種間の和解を成し遂げたのです。

†ついに大統領に

アパルトヘイトが撤廃されたことで、1994年4月、全人種が参加して初の民主的な選挙が実施されました。

選挙でANCは、白人主体の国民党に勝利します。ANCは議会で多数派を占め、マンデラが大統領に選出されました。南アは、国民から選挙で選ばれた国会議員たちが大統領を選出するという政治制度だからです。

マンデラ大統領は、白人と黒人との間の格差の是正や経済開発計画を立て、新生南アフリカ共和国を発展させます。

マンデラ大統領の下で、南アは発展を遂げ、1999年の総選挙を機にマンデラは政治の世界から引退しました。

マンデラが刑務所に収監されたときの妻ウィニーは、夫が獄中にある間に過激な運動を続け、部下を使って殺人まで犯していたことが判明し、有罪判決を受けます。

また、愛人を作っていたこともわかり、マンデラは離婚。その後、1998年に隣国モザンビークの飛行機事故で亡くなった初代大統領の未亡人と結婚します。飛行機事故のとき、マンデラは獄中にありましたが、夫人にお悔やみの手紙を送り、出獄後に会ったことで愛が芽生えました。

†その後の南アフリカ

マンデラ大統領の後任は、同じくANCのタボ・ムベキ大統領、その後はジェイコブ・ズマ大統領が就任しますが、ズマ大統領の下で政府の情実人事や汚職が蔓延《まんえん》し、治安の悪化も進んでいます。情実人事の一端が、かの奇妙な手話通訳の存在で見えてしまいました。

すべての肌の色の人が一緒になって国づくりをする。そんなマンデラの理想には揺らぎも見えます。今後、マンデラは、紙幣の肖像画となって、祖国の将来を見守るのです。

第11章

円から日本社会が見えてくる——日本

†紙幣といえば「聖徳太子」だったが

この本も、これが最後の章。最後は日本の紙幣について取り上げましょう。私世代の人たちにとって、物心ついた頃の日本のお金といえば、「聖徳太子《しょうとくたいし》」の肖像がある1000円券、5000円券、1万円券でしょう。

聖徳太子の肖像がある1000円券は、1950（昭和25）年に登場し、1963（昭和38）年に伊藤博文《ひろぶみ》に交代しました。

5000円券は1957（昭和32）年から1984（昭和59）年まで。そこからは新渡《にと》戸《べ》稲造《いなぞう》でした。

1万券は1958（昭和33）年に初登場。やはり1984年まで、福沢諭吉《ゆきち》に代わりました。

1万円券が登場した1958年は、高度経済成長が始まる前夜。紙幣の流通量が増え、経済はインフレ気味になり、1000円札や5000円札だけでは不便になってしまったからです。

1950 年 -

1963 年 -

1957 年 -

1984 年 -

1958 年 -

1984 年 -

日本円の変遷

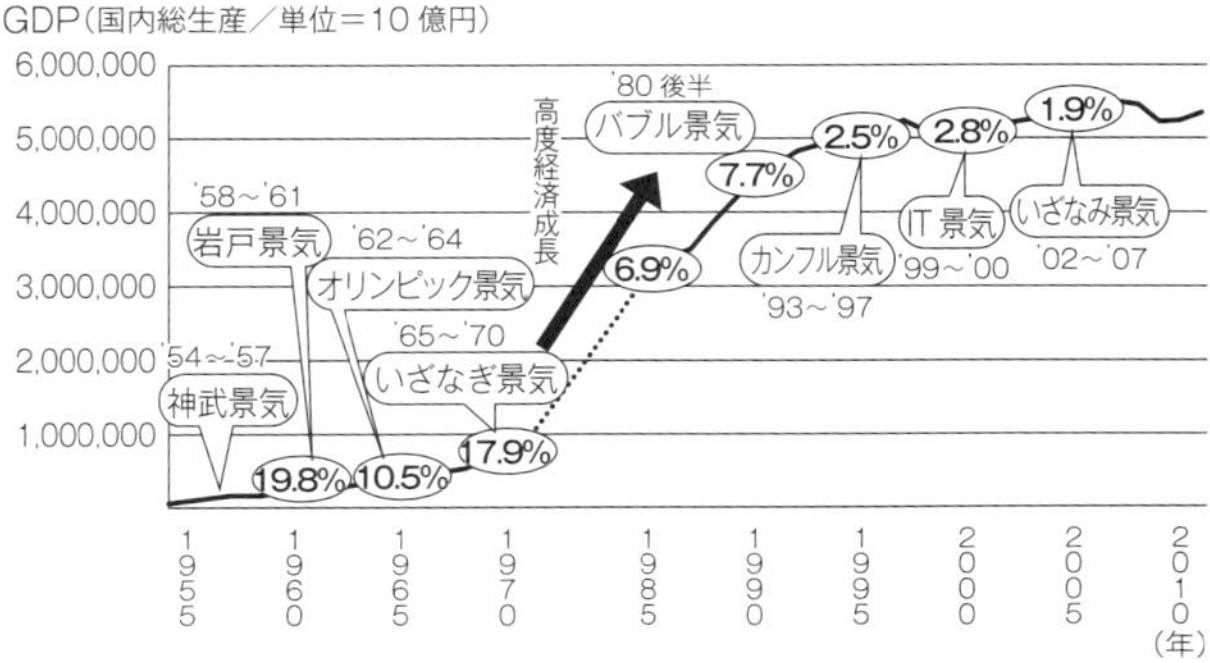

戦後の景気の流れ

『[図解] 池上彰の経済のニュースが面白いほどわかる本』（中経出版）をもとに作成

経済の発展に伴って、このお札は大活躍。「聖徳太子」は1万円札の代名詞となったほどです。

1万円札がフル回転したことで、そのうちに5万円札も登場するのではないかと思われたのですが、その前に経済はデフレに突入。5万円札は必要なくなりました。

ちなみに、「もし5万円券が登場するなら坂本龍馬を肖像画に」と、一時高知県が知事を先頭に運動を展開していましたが、5万円札の可能性が薄れたことで、いまは休止状態です。

日本のお札でもっとも多く肖像画として登場したのは聖徳太子。過去に7種類のお札に登場していますが、今後は、登場することがないでしょう。というのも、紙幣に描かれた肖像画は、その後の歴史研究の結果、聖徳太子のものではないという説が出ているからです。

それどころか、「聖徳太子」は実在したかどうかさえあやふやになっています。このため、現在の歴史の教科書は、「聖徳太子」ではなく「厩戸《うまやど》の皇子《みこ》（聖徳太子）」あるいは「聖徳太子（厩戸の皇子）」という表記になっています。

厩戸の皇子は存在したが、生前には「聖徳太子」と呼ばれていなかったこと、後世になって呼ばれるようになったが、虚構の人物だと唱える人もいるからです。あの肖像画に慣れ親しんだ世代には、いささか寂しいことです。

†最初の肖像画は女性だった

日本の紙幣に最初に肖像画が登場したのは1881(明治14)年のこと。神功皇后《じんぐうこうごう》でした。

神功皇后は、応神《おうじん》天皇の母親で、『日本書紀』などによれば、夫の仲哀《ちゅうあい》天皇が急死後、お腹に子ども(後の応神天皇)を宿《やど》したまま、朝鮮半島に出兵して新羅《しらぎ》の国を攻めたとされています。実在していたかどうかの議論もありますが、明治時代には、聖母として肖像画に採用されました。いまなら朝鮮半島への「侵略者」として韓国や北朝鮮から抗議されるところでしょう。

当時の日本では独自に紙幣を製造することができず、原版はイタリア人技術者エドアルド・キヨッソーネが作成したため、神功皇后は、西洋風の女性に描かれています。

日本のお札に初めて登場した肖像画

1871 年	新貨条例によって、日本の通貨として「円」誕生。1 ドル＝1 円。
1882 年	日本銀行が創業し、1885 年に日銀は兌換紙幣を発行。
1897 年	貨幣法を制定し金本位制をスタート。円ドル相場は 1 ドル＝2 円。
1945 年	敗戦後まもなく GHQ によって、軍用交換相場で 1 ドル＝15 円に。
1949 年	GHQ によって、1 ドル＝360 円の単一為替相場が発表される。
1951 年	サンフランシスコ平和条約によって、日本は主権を回復。翌年には IMF へ加盟。
1971 年	スミソニアン合意。円は 1 ドル＝308 円に切り上げられる。
1973 年	1 ドル＝260 円半ばまで円高が進行。
1977 年	一気に円高が進行し、1978 年 10 月には 1 ドル＝176 円の高値。
1983 年	「日米円・ドル委員会」の設置。レーガノミックスの圧力。
1985 年	プラザ合意、ドル高を是正。
1987 年	ルーブル合意、円高不況へ。
1990 年	バブル崩壊。
2011 年	円高の最高値 75 円 78 銭を記録。
2013 年	日本銀行が大胆な金融緩和を実施。急激な円安が進む。

日本経済を動かす円の歴史

『[図解] 池上彰の経済のニュースが面白いほどわかる本』(中経出版) をもとに作成

ちなみに、次に女性の姿が登場するのは、2000年の沖縄サミットを記念して発行された2000円札で、表は守礼の門ですが、裏に紫式部が描かれています。

肖像画としては、2004年に登場した樋口一葉《いちよう》です。

肖像画は、偽札を作りにくくするため、皺《しわ》が多かったり、ひげがあったりする高齢の男性が登場することが多いのですが、樋口一葉の場合は、夭折《ようせつ》した女性だけに皺もなく、原画を作るのに手間取ったというエピソードがあります。

政治家から文化人へ

肖像画に誰を採用するのか。特に決まりはありませんが、通貨行政を担当する財務省、発行元の日本銀行、製造元の国立印刷局の三者で協議し、最終的には日本銀行法によって財務大臣が決めることになっています。

2004年に1000円札と5000円札の肖像が変わったとき、1万円札だけは引き続き福沢諭吉が採用されました。このときの財務大臣は塩川正十郎、総理大臣は小泉純一郎。いずれも慶應義塾大学の卒業生でした。だから福沢諭吉だけ残ったという説がありますが、確認できない噂話です。

明治から現代までの肖像画に登場するのは、日本武尊《やまとたけるのみこと》など神話の登場人物だったり、藤原鎌足《かまたり》など天皇家にゆかりのある人物だったり、岩倉具視《ともみ》、高橋是清《これきよ》、伊藤博文など政治家だったりしましたが、1984年以降は、文化人だけになりました。

政治家だと、歴史上の功罪がいろいろあり、賛否が分かれることがあります。そこで文化人にした、というわけです。

このときは1万円札が福沢諭吉、5000円札が新渡戸稲造、1000円札は夏目漱石。2004年からは、5000円札が樋口一葉、1000円札が野口英世《ひでよ》です。

福沢諭吉ばかりが出て大隈《おおくま》重信が登場しないのは、早稲田大学関係者は面白くないかもしれませんが、大隈重信は政治家でもありましたから、登場はむずかしいでしょう。総理も財務大臣も早稲田出身者で占めたときには、どうなるかわかりませんが。

†2000円札は流通しない

沖縄サミットを記念して発行された2000円札は、あまり見かけることがありません。2000円札に対応するATMがほとんど出てこなかったという事情もありますが、偶数を敬遠しがちな日本人特有の発想も影響しているのかもしれません。

アメリカでは20ドル札、EUでは20ユーロ券は、とても使うのに便利で活躍しているだけに、不思議です。

しかし沖縄では、沖縄サミットを記念して発行され、表に守礼の門が描かれているだけに、「2000円札を積極的に使おう」という機運が高く、しばしば2000円札を手にします。

†お札の傷み具合で経済状況がわかる

海外でさまざまなお札を手にすることが多い私の感想は、「日本のお札はきれいなものが多い」というものです。

開発途上国では、ボロボロに傷《いた》んだお札や汚れたお札、書き込みのあるお札に、しばしば出合います。あまりに汚れていると、手に持つのをためらってしまうほどです。

日本のお札がきれいなのは、少しでも傷むと新札に換えてしまうからです。日本銀行によれば、お札の平均寿命は1万円札で4～5年程度、5000円札・1000円札については1～2年程度だそうです。

お札を常に清潔に保つにはコストがかかります。傷んだお札を銀行が回収する仕組みも整備されていなければなりません。それゆえ、先進国の紙幣は開発途上国よりきれいなのですが、とりわけ日本の清潔ぶりは突出しています。

†偽造防止の技術も向上

紙幣の歴史は、偽造《ぎぞう》との戦いでもありました。紙幣が新しくなるたびに、偽造防止の工夫が施されてきました。

とりわけポピュラーなのは、「すかし」でしょう。お札を明るい光の方向にかざして見ると、それまで見えなかった肖像などの図柄が現れます。これが「すかし」です。すかしの図柄は、紙の厚さを変えることによって表現します。

実は、「すかし」の入った紙（すき入紙）を製造する場合には、許可が必要であることをご存じでしょうか。

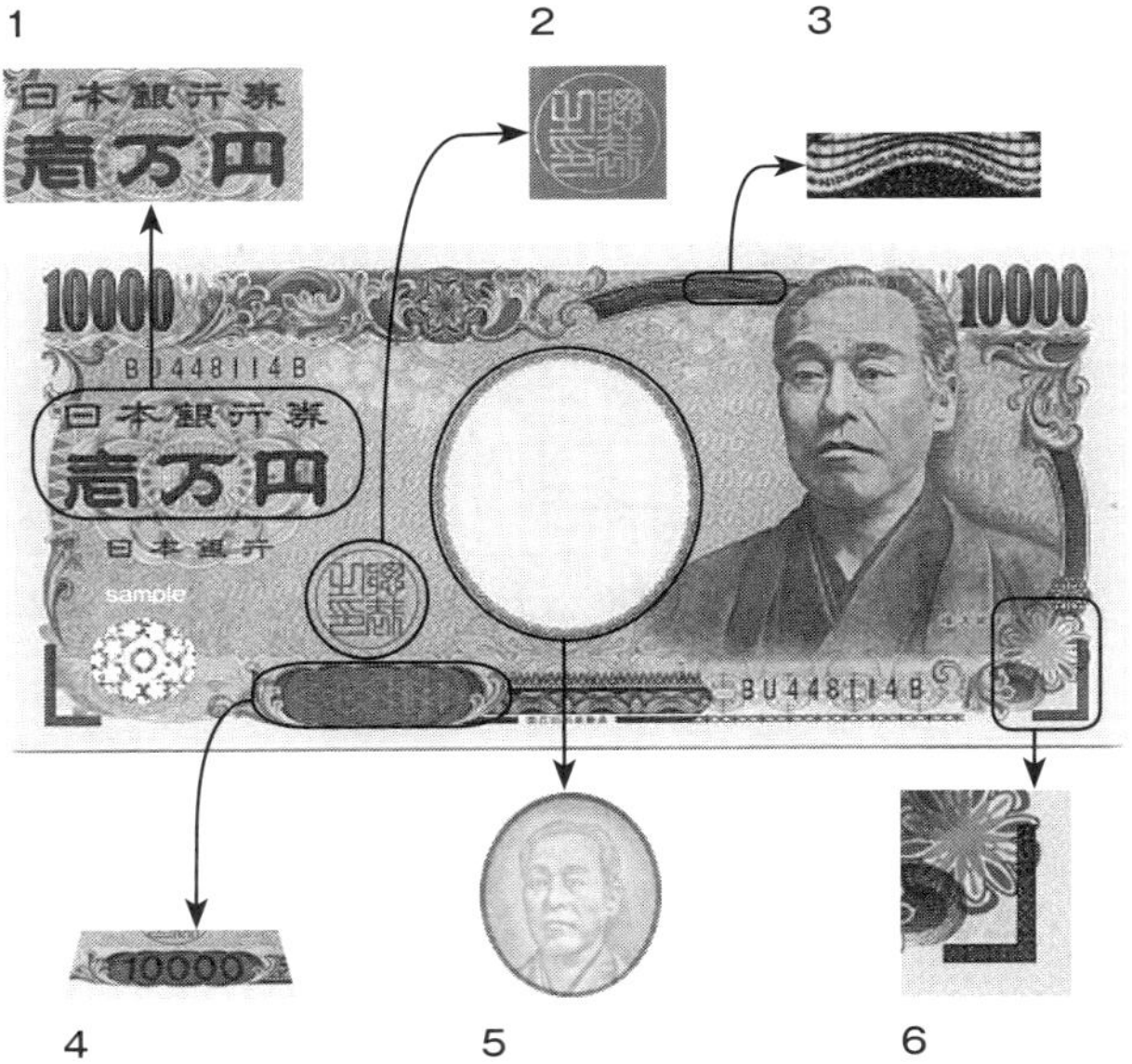

1　**凹版印刷**
紙幣の表面が盛り上がる特殊印刷。
2　**特殊発光インキ**
印章に紫外線をあてるとオレンジ色に光るほか、地紋の一部が黄緑色に発光する。
3　**マイクロ文字**
「NIPPONGINKO」と書かれた小さな文字が印刷されている。
4　**潜像模様**
お札を傾けると、表面左下に「10000」の文字が、裏面右上に「NIPPON」の文字が浮かび上がる。
5　**すかし**
お札を明るい方向にかざすと肖像などの図柄が現れる。
6　**識別マーク**
目の不自由な方が指で触ってわかるように、ざらつきのあるマークが印刷されている。

1万円札の偽装防止技術
「日本銀行ホームページ」をもとに作成

「すき入紙製造取締法」に基づき、政府の許可が必要なのです。「すかし」は紙幣にはつきもの。偽造に使われることがないように、特別の許可が必要になっているのです。

偽造防止策としては、ほかにもマイクロ文字が採用されています。あまりに細かい文字なので、コピー機にかけてもつぶれてしまうのです。

さらに、最近のコピー機には紙幣判別機能があり、紙幣をコピーしようとしても、真っ黒になってコピーできません。

このほか、凹版《おうはん》印刷という特殊な方法の印刷を用いることで、紙幣の表面を一部盛り上がらせることができます。

1万円札の場合、「潜像模様《せんぞう》」が採用されています。これは、お札を傾けると、表面左下に「10000」の文字が、裏面右上に「NIPPON」の文字が浮び上がる仕掛けです。

特殊発光インキも使われています。表の印章（日本銀行総裁印）に紫外線を当てると、オレンジ色に光るのです。

†大胆な金融緩和で円安に

日本の紙幣を発行しているのは日本銀行です。紙幣の発行量を調整することで、日本の金利を調節しています。

たとえば金利を低くしようとすれば、紙幣の発行量を多くします。金利とは、いわば「お金の値段」。世の中に紙幣の量が多くなれば、需要と供給の関係で金利は下がります。

では、紙幣の発行量を多くするには、どうしたらいいのか。一般の銀行は、日本政府が発行している国債を大量に買い込んでいます。この国債を日本銀行が買い上げます。

すると、その分だけ、日本銀行券が世の中に出回る、というわけです。

各銀行の手持ちの現金が増えれば、低い金利で貸し出そうという動きが広がる仕組みです。

とりわけ2013年に黒田東彦《はるひこ》氏が日銀総裁に就任すると、大胆な金融緩和を実施。その結果、対ドルで価値が下落。急激な円安が進みました。

日本銀行のような紙幣を発行する銀行は中央銀行と呼ばれます。中央銀行の一番の役割は、貨幣の価値を守ること。極端なインフレを引き起こさないようにすることです。その点からいえば、黒田日銀は、あえて円の価値を下げてインフレと円安を引き起こそうという異例の方針なのです。

その結果、日本経済が大きく甦《よみがえ》れば結果オーライということになりますが、さて、今後の経済はいかなることになるのでしょうか。日本のお金・円に対する信頼を傷つけることなく景気を回復させる。お札を発行する日本銀行の大事な責務です。

ちくま新書
1074

お金《かね》で世界《せかい》が見《み》えてくる!

二〇一四年六月一〇日 第一刷発行

著者 池上彰(いけがみ・あきら)

発行者 熊沢敏之

発行所 株式会社 筑摩書房
東京都台東区蔵前二-五-三 郵便番号一一一-八七五五
振替〇〇一六〇-八-四一二三

装幀者 間村俊一

印刷・製本 株式会社 精興社

乱丁・落丁本の場合は、左記宛にご送付下さい。
送料小社負担でお取り替えいたします。
ご注文・お問い合わせも左記へお願いいたします。
〒三三一-八五〇七 さいたま市北区櫛引町二-六〇四
筑摩書房サービスセンター 電話〇四八-六五一-〇〇五三

ISBN978-4-480-06779-1 C0233

ちくま新書

997
これから世界はどうなるか
——米国衰退と日本
孫崎享
経済・軍事・文化発信で他国を圧倒した米国の凋落が著しい。この歴史的な大転換のなか、世界は新秩序を模索し始めた。日本の平和と繁栄のために進むべき道とは。

001
貨幣とは何だろうか
今村仁司
人間の根源的なあり方の条件から光をあてて考察する貨幣の社会哲学。世界の名作を「貨幣小説」と読むなど貨幣への新たな視線を獲得するための冒険的論考。

979
北朝鮮と中国
——打算でつながる同盟国は衝突するか
五味洋治
いっけん良好に見える中朝関係だが、実は恐れ、警戒し合っている。熾烈な駆け引きの背後にある両国の思惑を、協力と緊張の歴史で分析。日本がとるべき戦略とは。

960
暴走する地方自治
田村秀
行革を旗印に怪気炎を上げる市長や知事、地域政党。だが自称改革派は矛盾だらけだ。幻想を振りまき混乱に拍車をかける彼らの政策を分析、地方自治を問いなおす！

934
エネルギー進化論
——「第4の革命」が日本を変える
飯田哲也
いま変わらなければ、いつ変わるのか？ 自然エネルギーは実用可能であり、もはや原発に頼る必要はない。持続可能なエネルギー政策を考え、日本の針路を描く。

925
民法改正
——契約のルールが百年ぶりに変わる
内田貴
経済活動の最も基本的なルールが、制定から百年を経て抜本改正されようとしている。なぜ改正が必要とされ、具体的に何がどう変わるのか。第一人者が平明に説く。

891
地下鉄は誰のものか
猪瀬直樹
東京メトロと都営地下鉄は一元化できる！ 利用者本位の改革に立ち上がった東京都副知事に、既得権益の壁が立ちはだかる。抵抗する国や東京メトロとの戦いの記録。